BTSから世界とつながる

鳥羽和久
Toba Kazuhisa

「推し」の
文化論

BTS

晶文社

ブックデザイン　鳴田小夜子（KOGUMA OFFICE）

第 **1** 章

BTS と
ARMY

BTSという「推し」を見つける

　BTSに夢中になるのは、さほど難しいことではありません。

　まずは、YouTubeなどでファンたちが編集したメンバー紹介の動画を見て、7人の名前と顔を一致させる。そして、そのあとは無数にアップされているMVやライブ映像、バラエティ動画などを時間つぶしに細々と見続ける。たったそれだけで、数週間後にはきっとあなたもBTS沼の仲間入りです。[注1]

　好きになった当初に、世界一にも選ばれたテテ（V）の美貌[注2]や、ジョングク（JUNG KOOK）のキラキラした存在感、ジミン（JIMIN）のダンスのキレとしなやかさ……。そういう一見わかりやすい魅力に心を奪われていた人たちは、やがて、彼らひとりひとりの表情ひとつに、言葉ひとつに、いかにもその人らしいやさしさ、繊細さ、意志の強さ、内面からにじみ出るかわいらしさ等を見出すようになり、さらに、バラバラの個性を持った彼らが人間らしくぶつかり合うようすを、愛おしく感じるようになります。

　これを書いている私は、福岡で小中高生が150名以上通う教室（単位制高校と書店を併設する学習塾）を運営しています。先日、中学生のある女の子の面談を行ったときのことです。
　「バンタン（＝BTS／防弾少年団）はあなたの先生だもんね」
　お母さんがその子に言いました。

　これは、おそらくその子というよりは、お母さん自身の実感でしょう。BTSのファン（＝ARMY）たちは、アップされた動画の端々に、彼らのほんの一瞬の表情の温かさや、メンバーへのさりげない配慮的なふるまい、スタッフやファンへの気遣い等を見出して心を揺さぶられます。さらには、地道に努力することはつくづく大切だなぁ……とか、ときには休息をちゃんととるのもやっぱり大事なことだよ……とか、料理と片づけをちゃんと分担して、しかもやらないという選択さえもちゃんと認めるなんてほんとうにいい人間関係だな……（「BON VOYAGE」や「In the SOOP」シリーズ）など、幅広くさまざまな美点を読み取って、彼らを先生としてお手本にしようとするところがあります。

　ARMYの中には、BTSと出会って、音楽や彼らが使うハングルだけでなく、絵画などの芸術やユング心理学、さらには韓国の歴史や国際政治にまで興味を持つようになったという人もたくさんいるのです。[注3]

　ARMYたちのツイッター投稿なんかを見ていると、えー、まさかそんな細かい挙動にそんな意味を読み取るなんて！とその解釈に驚くこともあるのですが、当人（メンバーたち）が全く意図しないところで勝手に感じて学んでしまう、そういうファンの心理を運営やメンバーたちが熟知していて、それを積極的に活用してきたところがBTSの新しさと強みとも言えるのです。

J-HOPE 「ファンは僕らがバックステージでどんな様

子なのか……」

RM 「そのままの姿を知りたいと思っているはずです」「ありのままの姿を見せよう」

シュガ 「僕たちは隠しているところがたくさんあるから。弱みを見せないようにしているし、努力しているのもないことにして。ありのままを見せたいです」「……いつも完成した姿を見せるから……」

RM 「僕はいろいろな考えといろいろな側面を持っている人間なのに、この面を見せたらファンが心配したり、嫌ったりするかもしれないけど、その思いに打ち勝ちたいです」

シュガ 「ファンに新たな一面を見せて、ありのままを見せるチャンスだと思います」

RM 「僕たちの最大の強みは人間味だから、それを見せて、僕たちも同じ人間だと……。僕たちがここまで来れたのは……それは単なる幸運なんだ……」

(BURN THE STAGE: the Movie 2017)[注4]

　　メンバーは自分たちひとりひとりの「ありのまま」の人間味が伝わることが、ファンたちの心を刺すことを見通しています。これを読んでいるARMYならきっとわかると思

いますが、ARMYどうしでおしゃべりをしていちばん盛り上がるのは、メンバー7人それぞれの個性の違いに関する話題ですよね。例えばこういうシチュエーションの場合、ジョングクだったらこう言うだろう、ジミンだったらこういうリアクションしそう……。そういう具体的な想像が次々に膨らんで止まらなくなるほどに、ファンたちは彼らのことを深く知っていて、たくましい想像力を駆使してひとりひとりの個性の違いを愛でています。

しかし、ここでちょっと立ち止まって考えるべき問題があります。アイドルのリアリティショー化は、彼らの音楽や外見だけでなく、人格やその人生さえも消費させてしまうことを意味します。それがどれだけファンたちやもっと広く世間全体に肯定的な影響をもたらしたとしても、資本主義と個々の人間という関係性においては、看過できないいびつな問題を孕むことになります。

このようなリアリティショーは当然ながらBTSが始めたことではなく、特に日本のアイドル産業では随分以前から取り入れられていた手法です。しかし、BTSメンバーのバラエティ番組は、従来にはない魅力で溢れています。彼らは単にそこでかわいらしさや繊細さを見せているだけではありません。メンバー間の関係性を通して、旧来の男性性の脱構築 [注5] や、ケアの方法論、さらにお互いをいたわりながらも個として生きる姿勢など、新しい時代の価値観を提示しており、そのような現代的な倫理までもが消費の対象になることは深刻な問題を孕んでいるのです。それは、

ダイバーシティ（多様性）やSDGsといった価値観が資本主義と結託して新たな消費を生み出している現状とパラレルにリンクしています。[注6]

---

*注1　YouTube などの動画投稿サイトを通した BTS の魅力の発信には、ARMY翻訳家と呼ばれる有志たちの働きや、自動翻訳機能の発達という条件が欠かせませんでした。『BTSとARMY　わたしたちは連帯する』（イ・ジヘン著、桑畑優香訳／イースト・プレス2021年）を参考のこと。

*注2　テテは、YouTube メディア「Special Awards」の「MOST HANDSOME AND BEAUTIFUL IN THE WORLD 2022」、アメリカの映画情報サイト「TC Candler」が選ぶ「2017年 最もハンサムな顔100人」など、数々のランキングで世界1位を獲得している。

*注3　さらに追加して言えば、BTS の慈善活動や政治的発言に触発されて、具体的なアクションを起こす ARMY の例は世界各地で後を絶たない。例としては 2020 年に BTS が所属事務所のBig Hit Entertainment（現 HYBE）ともに Black Lives Matter 運動へ 100 万ドルを寄付したことを受けて、ファンによるチャリティ・プロジェクト One In An Army がわずか1日で100万ドルを集めて権利擁護団体に寄付を行った例など。

*注4　「BURN THE STAGE: the Movie」は、2017年に行われたBTSワールドツアーのバックステージを描いた YouTube のドキュメンタリー。

*注5　脱構築（ディコンストルクション）はフランスの哲学者ジャック・デリダの用語。二項対立の枠組みをいったん保留し、そこから有用な要素を用いながら別のしかたで再構築しなおすこと。

*注6　この本では、BTS の楽曲や MV だけでなく、メンバーたちの発言（雑誌インタビュー、バラエティ番組、ドキュメンタリー、V LIVE などのあらゆるコンテンツ）を交えながら彼らの実像に迫ることを通して、社会現象としての「推し」とファンの独特な関係性について考察する。本来は、楽曲や MV など作品の「行為」と、その作者のプロフィールや発言は一緒くたにすべきではなく、分けて考えることのはずである。なぜなら、作品を作者に準じて考えることは、作品自体が持つ固有の思考を殺すことになりかねないからだ。しかし、それでもなお、この本の中で作品の行為と作者の発言が十分に峻別されていない理由は、メンバーが作る楽曲やMVだけでなく、たくさんのスタッフが関わる（「花様年華」などのストー

リーテリング、グッズやプロダクト、ゲームなど多岐にわたる）コンテンツやプロジェクト、さらにファンである AMRY の反響をも含めた総体が「BTSという作品」であるという姿勢を、メンバーたち自身が鮮明にしているからである。楽曲や MV だけにしぼってしまうと、「BTS という作品」の全貌を見ることはできない。例えば、雑誌インタビューは彼らが BTS メンバーとして発言しているかぎり「BTS という作品」の一部であり、ライブやリアリティ番組で見せるかわいらしい一面さえも、それが BTS のコンテンツであるかぎりメンバーと ARMY をつなぐ「BTS という作品」の一部なのである。このように、「推し」をめぐる現象全体が作品になるという点に、昨今の推しの文化の特徴がある。（2022年に彼らが「グループとして」の「表現活動」をいったん休止した理由は、そこから一度離れないことには、メンバーひとりひとりの固有性が全て「BTSという作品」に回収されてしまうという危機感があったからであろう。）

Love Myself 自分を愛すること

自分を愛することを学ぶということ、これは今日明日といった課題ではない。むしろこれこそ、あらゆる修行のなかで最も精妙な、ひとすじではいかない、究極の、最も辛抱のいる修行なのだ。

（ニーチェ『ツァラトゥストラはこう言った』（下）
岩波文庫、氷上英廣訳、1970年）

　推しを応援すること、つまり「推し活」は、ファンたちのメンタルによい作用をもたらします。その効用はいくつかありますが、ひとつ目には推しを通して「世界とつながっている」と感じられることです。

　K-POP において、ファンダム（BTSのARMYの他にも、例え

ばBLACKPINKのBLINK、TWICEのONCE、NewJeansのBunniesなど）の名称がライブや授賞式等でさかんに連呼されるのは、ファンダムを通して推しとつながると同時に、推しを通した連帯によって世界とつながる感覚がファンたちにもたらされることを運営側が知っているからでしょう。

　BTSの場合は特に、世界中に点在する初期ARMYたちの地道な広報運動が、彼らを一躍世界のスターダムに押し上げたという物語をBTS＝ARMYが共有していて、そのつながりは特に深いものです。

　私には、BTSについての考えを深めるきっかけになった女の子との出会いがありました。私は彼女を「亜美さん」という名前（亜美＝アミ／ARMY）で別の著作（『君は君の人生の主役になれ』ちくまプリマー新書、2022年）の中に登場させました。

　亜美さんは学校に行けなくなって、すっかり自分に自信を無くしてしまっていた子だったのですが、ある日、彼女とおしゃべりをしていたときに、彼女がBTSのことが大好きだということを私は知りました。

> 　話をする中で、亜美さんに「ふだん家で何してるの？」と尋ねると、彼女は「BTSの動画ばかり見てます」と答えました。さらに「推しは誰なの？」と尋ねると「テテです！」とよくぞ聞いてくれたとばかりにうれしそうに答えます。

　それを聞いた私は、「なんだ、亜美さん。孤立して
ないやん！」　思わず声を上げます。「テテと繋がって
るなら、世界と繋がってるということだよ。私の『好
き』はどこかで暮らす誰かの『好き』ときっと繋がっ
てる。亜美さんは学校でいつもひとりだと言ってたけ
ど、学校で孤独を感じてるだけで、もっとやさしくて
美しい世界と繋がっているじゃない！」

　私がまくしたてるようにそう言ったので、亜美さん
はびっくりしたのか、ブハッと一瞬笑ったあとボロボ
ロと泣き出してしまいました。私はこのとき亜美さん
とようやく友達になれた気がしました。

（鳥羽和久『君は君の人生の主役になれ』）

　そんな彼女が、BTSの数ある曲の中で特に大好きな曲と
して教えてくれたのが、「Answer : Love Myself」（2018年のア
ルバム『LOVE YOURSELF 結 'Answer'』収録）でした。毎日聞い
ても泣いてしまう。彼女は目に涙を浮かべながらそう言い
ました。

　自分に自信がないと感じている人たちは、これまで自分
が周囲から十分に認められず否定されてきたという感覚を
持っています。その感覚を与えたのは親や教師かもしれま
せんし、クラスメイトかもしれません。また、マイノリティ
の人たちは、多かれ少なかれ「社会が自分用に作られてい
ない」という気づきを得ていますから、そのせいで、自分

が生まれながらに否定された存在のように思えて、傷つき
を深めている人たちもいます。そういったネガティブな感
覚を通していつの間にか自分自身を愛することを手放して
きた私たちの心に、「ただ自分自身を愛することでさえ、誰か
の許しが必要だったんだ」と歌うこの曲が真っ直ぐに刺さ
るのです。

　亜美さんはテテペン（＝テテのファン）ですが、彼女がこの
曲の中でいちばん好きなのは「昨日の僕、今日の僕、明日の僕」
とテテが歌う箇所で、彼女はそこでいつも涙が出てしまう
と言います。「これはめちゃくちゃテテらしい歌詞なんです」
と大事な宝物を扱うように亜美さんは語ります。
「昨日の僕、今日の僕、明日の僕」の後には、「ひとつ残
らずすべてが僕なんだ」という歌詞が続いています。あな
たは日々変化するし、あなたを取り巻く環境も毎日ちがっ
ているけれど、あなたはいつでもどこにいてもかけがえのな
い個別性を持っている。だからあなたはそのままでちゃん
と愛されるべきだ。周りの人たちがいかにあなたにネガティ
ブな烙印を押そうとしても、あなたはあなたのままで、多
様な側面を持つあなたが肯定されるべきだ。この歌詞はそ
んな力強いメッセージになっています。

「あなたは弱いから、学校に行けなくてもしかたがないよ」
　亜美さんはいつも、大人たちからいたわりの言葉を掛け
られてきました。そうやって、いつの間にか「弱い自分」
を内面化していました。でも、学校に行けなくなった彼女

が求めていたのはそんな言葉ではなかったのです。学校で苦しくなるあなたも、家にいてほっとしているあなたも、そしていま自分が大好きなバンタンを聞いているあなたも、全部あなたなんだから。だから学校のあなたが息が苦しくなるとしたら、それはあなたのせいではなくて、学校という環境のせいかもしれない。あなたは決して弱くないし、どのあなたもそのままであなたなんだよ。だから周りに惑わされないで。テテの歌声は、そういうメッセージとして亜美さんの耳に届いたのかもしれません。

　亜美さんは、「四次元」[注1]と呼ばれるつかみどころのない多様な面を持つテテの個性や、彼がふとしたときに見せる複雑で繊細な佇まいを愛しています。そして、そういう彼のキャラクターに歌詞の意味を重ねて、「わかる」という思いを募らせています。その思いは、「私だけのもの」と感じられるような個別の経験です。
「私だけのもの」と感じられる経験は、確かな私の輪郭を知る手がかりになります。私だけの真実は、それが真実であればこそ、必ず世界のどこかにいる誰かの真実とつながっている。このような「好き」の連帯の中から「一人だけど独りじゃない」という実感を深めている人がいることを、彼女は教えてくれました。

　そして、「Answer : Love Myself」以外にもうひとつ、亜美さんが教えてくれたお気に入りの曲が「2！3！」（2016年のアルバム『WINGS』収録）でした。

　メンバーはこの曲の中で「大丈夫、ほら1、2、3 数えれば忘れるよ」と歌い、さらに「悲しい記憶は全部消して 僕の手をとって笑おうよ」と聞く人たちに呼び掛けます。亜美さんは、この曲を知って以来、BTSのリーダーRMが「2！3！こんにちは、防弾少年団です！（둘！셋！안녕하세요, 방탄소년단입니다!）」というお決まりの挨拶をするのを聞くたびに、心が楽になると感じるようになったそうです。BTSは曲の中にARMYが元気になるおまじないをしのばせることに成功したようです。2！3！の掛け声が、今日もそれを聞くARMYたちに悲しい記憶を手放す勇気を与えています。その声によって今日も生き延びることができると感じている人たちが、きっと世界中にたくさんいるのです。[注2]

＊注1　メンバーのテテは、つかみどころのない不思議な性格とたびたび言われ、その個性からにじみ出る独特のかわいらしさをファンたちは愛でている。そういう「天然キャラ」の彼をファンたちは「四次元」と形容する。

＊注2　亜美さんが好きな曲をもうひとつ。1日が終わって00:00になったら、世界は一瞬息を止めて君は幸せになる、と歌う「00:00 (Zero O'Clock)」（2020年のアルバム『MAP OF THE SOUL : 7』収録）。私たちは明日もう一度新しく生まれ直して幸せを探すことができる、そういう希望を感じることができる曲。

連帯する私たち

　私は2015年にBTSのことを知って以来、彼らのことをずっと好感の目で見ていたのですが、でも一点だけ違和感を覚

える部分がありました。なぜ彼らが表彰式やステージなどで、事あるごとに「ARMY〜！」って叫ぶのか、その理由がわからなかったんです。ちょっとファンサービスしすぎなんじゃないか？　ファンにちょっと媚びてるんじゃないかな？　そんなふうに思っていたんです。

　でも、いまから考えるとそれってすごく無理解だったなと思います。イ・ジヘン著の『BTSとARMY　わたしたちは連帯する』（桑畑優香訳、イースト・プレス、2021年）には、BTSの大躍進の裏に、世界中のARMYによる熱烈な広報活動があったことが描かれています。チャートの成績を上げるためにアメリカのラジオ局に熱心にリクエストを送ったりとか、曲を取り上げてくれたDJに感謝のプレゼントを送ったりとか。

　そして、そのようなARMYたちの地道な活動の成果もあって、BTSは2017年に初めて、世界的に知られるアメリカの音楽賞、BMAs（ビルボードミュージックアワード）でトップソーシャルアーティスト賞を取ります。[注1] そのことが、彼らが世界に羽ばたく大きなきっかけのひとつになったのです。

　そんなわけで、ARMYは文字どおり彼らの道を開き、光を与えた存在なのです。世界各地のARMYたちの地道な活動が、彼らを世界的スターにしたという側面が間違いなくあるからです。そして、そのことを一番身に沁みてわかっているのが、BTSのメンバーたち自身でしょう。だから、彼らはARMYのおかげで自分たちはいまここにいるという実感を込めて、最大限の敬意を払いながら「ARMY〜！」

と叫んでいるのです。

　私は、彼らのこのような背景を知ってから、彼らが時折口にする、「ARMYはBTSの一部だ」という言葉が決して誇張でも比喩でもなく、端的に真実なんだなということを理解しました。

　この意味で、2016年に発表された「Save ME」（2016年のアルバム『花様年華 Young Forever』収録）の歌詞は、BTSとARMYの歴史を雄弁に語るものでした。この曲の中でメンバーたちは、「ありがとう　僕を"僕"にしてくれて　こんな僕に翼をくれて」と歌います。つまり、ARMYに翼（Wing）をもらって、BTSはBTSになった。そしていま、BTSとARMYは連帯して「私たち」になった。そのことを通して私たちは、「悲しみを捨てて」生きていくことができる。彼らはそう歌うのです。

　このような連帯を通して、ファンたちは気づきます。私はいまここに存在していて、そして私のような孤独な存在が世界のあちこちに点々と存在している。まるで夜空の星々のように散らばっている。散らばっていて交わることはできないけれど、それでも私は星座をつくるひとつの星なんだ。私と同じような星のひとつひとつが星座を構成するひとつの点になり、BTSという「私たち」を形作っている。

　この思いが綴られた曲が「Mikrokosmos」（2019年のアルバム『MAP OF THE SOUL : PERSONA』収録）です。この曲の中

でメンバーたちは、漆黒の夜の中でお互いがお互いの光を見出したことを歌います。そして、私たちひとりひとりが個別の歴史を持っていること、だからこそ、私たちひとりひとりはひとつの星として輝いていると歌います。

　私たちは不安だからこそ、仲間を見出そうとする。孤独だからこそ、お互いを求め合ったりする。こういうひとりぼっちの感覚こそがお互いをつなぐ引力であり、そういう引力の中でこそひとりひとりが輝くことができる。ファンたちは彼らの楽曲を通して、そういう実感を深めていきます。そして、Weverse[注2]やSNSを通して彼らが発信するメッセージを受け取りながら、彼らとともにある自分の人生が、いつのまにか出会う前とは違う輝きを持っていることに気づくようになります。

---

*注1　BTSは2017年から2021年まで5年連続でBMAsのトップソーシャルアーティスト賞を受賞したが、2022年のBMAsではトップソーシャルアーティスト賞が廃止になった。ちなみにこれまでにBTSが本国外で受賞した特に大きな賞として、2021年のAMAs（アメリカンミュージックアワード）におけるArtist Of The Year（今年のアーティスト賞）が挙げられる。

*注2　NAVERとBTS所属のHYBEが共同で出資するWEVERSE COMPANYによって運営。世界中のファンとアーティストがつながるグローバル・ファンダムライフ・プラットフォーム。ファンが推しをより身近に感じることができるプラットフォームとして人気で、推しがWeverseで返信してくれたことを報告する投稿（Twitterなど）がバズることがたびたびある。このような推しとファンの「近さ」を演出するコンテンツの多様さが、旧来のスターとファンの間柄とは異なる新しい関係性を生み出している。

RM

本名:キム・ナムジュン(김남준)

呼び名:RM(アールエム)、ナム、ナムジュン、(かつては)ラプモン

出身地:京畿道高陽市

生まれた年:1994年

誕生日:9月12日

星座:乙女座

　　BTSのリーダーであり、チームのブレーンと呼ばれる
RMは、グループ結成以前からすでにラッパーとして活動
し、頭角を現していました。ラップは言葉の意味を伝える
のを目的にすることにとどまらず、言葉自体をどう扱うか
を突き詰めて考える人たちが生業（なりわい）とするジャンルです。彼
は特に言葉のひとつひとつに深いこだわりを持って表現す
る人なので、それを伝える手段としてラップを選んだのは
理解できます。

　　2022年12月に発売されたソロアルバム『Indigo』収録
の「Wild Flower」には「僕の始まりは詩」という歌詞が
あります。RMは2021年のRolling Stone誌のインタ

ビュー[注1] ですでに「子どもの頃は、散文家や詩人になるのが夢でした」と語っており、2022年のVariety誌のインタビュー[注2] でもやはり、10歳から12歳ごろに作家や詩人になりたかったこと、ラップ（RAP）を始めたのも、それが「Rhythm and Poetry」（リズムと詩）の略語と考えていたからであって、つまりは昔も今も変わらず詩を大切にしていることなどを話しています。

　エリカ・バドゥとの共演で話題になったソロアルバム冒頭曲「Yun」の中で、「人間になりたい　芸術をする前に」と歌った彼は、今後さらに自分自身の欲望に忠実な表現を模索していくでしょう。ですから、その際の表現方法が結果的に音楽以外のものになっても不思議はありません。最近は以前から興味のあった現代美術にすっかり傾倒し、美術館に足を運んではその様子をインスタグラムなどにアップしています。いまやRMは現代美術界のインフルエンサーとしての新たな立場を手に入れました。「Yun」は単色画で知られた韓国の現代美術家、故尹亨根（1928-2007）のことであり、ソロアルバム『Indigo』全体が尹へのトリビュートとさえ言える内容となっています。さらに、アルバムに添えられた歌詞ブックとポストカードは、美術絵画の図録を意識したつくりになっており、彼の現在地がわかる仕上がりです。

もともと言語と美術の世界はつながっており、別々のものではありません。言葉は意味作用が注目されがちですが、一方で遊戯作用もあり、それを担っているのが詩です。詩は、自明とされる言葉の意味を宙吊りにして、純粋に言葉の戯れを楽しむことができるジャンルです。つまり、言葉を通して抽象を扱うことができるのです。彼の音楽の原点であるラップは韻を踏むことが特徴ですが、やはりその中には、言葉を物質的に扱うだけで、意味がない戯れの場合があります。BTSの歌詞の中にもたびたび巧みな言葉遊びが出てきますよね。こうした「意味がある」と「意味がない」の間にある裂け目、シニフィアンとシニフィエのゆらぎにこそ、芸術の秘密があるのでしょう。

　詩と美術は中身が違うというよりは現れ方（表象のしかた）が違う。これまで詩を書いてきた彼がいま美術に傾倒しているのは、言語よりも先に美術があるという感覚と関係しているでしょう。彼はいま、より原初的な表現に惹かれているように私には感じられます。

注1　「RMが語るK-POPの定義、BTSと自分自身のアイデンティティ」BRIAN HIATT、訳Shoko Natori 「Rolling Stone Japan」2021年6月23日

注2　Variety BTS' RM on His 'Indigo' Album, Duets With Erykah Badu and Anderson .Paak, Military Service and Why Solo Careers Will Bolster the Band By Chris Willman (2022.12.1)

第2章

二面性の
ある世界

長男ジンの魅力

　バラエティ番組のRun BTS！（走れバンタン！）をはじめ、BON VOYAGE、In the SOOPなど彼らのリアルな人間性が見えるシリーズがいろいろあるわけですが、それらを見ていると、バンタンというのはほんとうに奇跡的なバランスでチームが成り立っていることが伝わってきます。

　まずはやっぱりジン（JIN）が長男なのが最高ですよね。彼は年長者ですが、偉ぶるところがありません。ジンはインタビューなどでたびたび「僕は物事を深く考えない」「良いことも悪いことも軽く考える」と言いますが、それは彼が何も考えてない単純な人間だということを意味しません。むしろそれは、彼があらゆることに執着しないことに努めている結果です。彼はクールで現実的なところがある。そして冷静だからこそ、人に期待することなくやさしく接することができる。そこに魅力があります。

　ジンはメンバーの中にいるときに盛り上げ役に徹する一方で、マンネ（年下メンバー）たちがワイワイ盛り上がっているときには、引きで見ているところがあります。ユーモアに溢れていてみんなを笑わせてばかりいるのに、その裏にはいつもクールに状況を見るクレバーさがある。さらに、その表情の奥には、人としてのさびしさを知っているように感じさせるところがあるのです。

　大人のジンペンたちは、美しい顔を持った彼がしょうもないオヤジギャグを言うギャップを楽しみながら、やさしさの奥に隠れているネクラさに対して、どうしようもない

人間的な深みを感じています。ダブルバインドであること が人間性の深淵と関わっていることは近代哲学のテーゼで すが、そのツボのド真ん中を刺激するのがジンなのです。

　ジンの卓越したバランス感覚は、思いがけない場面で発 揮されます。彼は「ワールドワイドハンサム」という愛称（& 自称）で有名ですが、彼はそれを積極的にネタにすることで、 あんなにハンサムなのに、正面からハンサムを引き受けな いことに成功しています。ジンはめちゃくちゃシャイなと ころがあるので、これは一種の照れ隠しだと思うのですが、 このことが結果的にチーム全体にとって功を奏す結果になっ ています。

　というのも、メンバーの中で彼がハンサム役を一手に引 き受けることで、テテとか、ジョングクとか、ひいてはメ ンバーみんなが「イヤミな感じ」にならないことに貢献し ているんです。その意味で、彼は矢面に立っている部分も あるのです。これって、ゾッとするほどのバランス感覚です。 BTSというチームがあんなに「やさしい世界」に見えるのは、 世間の評価以上にジンの功績が大きいと思います。（最近は ジンへの評価の声も高まってきたように思いますが。）

リーダーRMと、BTSの「やさしい世界」

　BTSのリーダーといえばRMですが、中高年のARMY、 さらにラプラ［注1］に多い男性ファンには、RMの国連演

説（2018年）から沼落ちした人がたくさんいます。[注2] だから、そのときのイメージでRMのことを捉えている人たちは、高い知性を持つ彼に対して完璧な人間像を思い浮かべるかもしれません。実際のところ、BTSの海外進出、特にアメリカをはじめとする英語圏への進出は、彼の類いまれな英語力、コミュニケーション能力に大きく依存したものでした。

　しかし、ファンたちには周知の事実ですが、ナムジュン（＝RM）が持つ個性の中身はデコボコがすごいんです。何でもモノを壊してしまうから「破壊神」と呼ばれていることで有名で、あらゆる道具をすぐ使えなくしてしまうし、他にもAirPodsは累計33回失くした[注3] とかすさまじいエピソードがたくさんあるわけです。

　これを書いている私には、彼のデコボコに「ひとごとじゃない感」が強くあります。私もかなりデコボコが大きい人間で、例えば筆箱や手帳を（上手く管理できないしすぐに失くしてしまうという理由で）携帯できない人間なので、彼らのドキュメントを見ていると、RMの不注意や失敗がなぜ起こってしまうのか手に取るようにわかってしまいます。そういうデコボコなリアリティを感じさせるところが彼の魅力ですし、むしろ、そういう弱点を晒す彼の姿に「らしさ」を感じて惹かれる人も多いでしょう。

　そういえば彼は、バラエティ番組ではジャイアンみたいに破滅的な歌唱を披露するし、アイドル運動会（2017年）ではリレーで不器用な走りを見せることもありました。彼には自分の不器用さを積極的に晒した方がいいと思っているふしさえあります。そのことが誰かの助けになることを知っ

ているのでしょう。

「In the SOOP」なんかを見ていると、他のメンバーたちが、お前（ナムジュン）は自分の苦手なことは別にやらなくてもいいよ、と思っていることが伝わってきます。「ナムジュン、お前は年長者でもないのにリーダーとしてバンタンというチームを立派にまとめてスゴイやつだよ、ほんとうに。だからというわけじゃないけど、お前が得意じゃないことは、別に無理してやらなくていいんだよ。曲作りも大変だろうし」そういう暗黙の了解がメンバー間で共有されている、それがBTSのやさしい世界の魅力です。

　暗黙の了解といえば、ユンギ（＝シュガ）は常にマイペースだし、テテはいつも自分の世界の中にいて空気が読めない（いや、読まないのかも）感じがありますが、別にそれでいいさという雰囲気が共有されています。そういうひとりひとりのデコボコな性質がメンバー間で自然に許容されている感じがあって、さらに言えば、お互いの足りないところを補完し合い、ケアし合う関係が存在しているのが見えるから、それを見た人たちはまるで自分が助けてもらえたような気持ちになって心がじんわり温かくなるのです。彼らひとりひとりというよりは、彼らの間に横たわる関係性にこそ最大の魅力を感じているARMYは多く、その関係性自体を作品として、さらに言えば文学として提示しているのがBTSというチームの魅力なのです。

　BTSのムードメーカーであり潤滑油と言われるのがホビ（＝J-HOPE）です。以前、氣志團の綾小路翔が西寺郷太（NONA

REEVES) のポッドキャストの中で「ホビは番組とかでどんなことがあっても反応する! 何があってもとにかくリアクションをしてくれて誰も 1 人ぼっちにさせない。マンネだらけの氣志團に来てほしい! どの企業にも ホビが 1 人いたらうまくいく!」[注4] と熱弁していて、ほんとそうだよーと思わず唸ったのですが、ホビは自身の内側には熱い情熱を秘めながらも、グループの中では常に誰かが困っていないか、誰か心細い人はいないかを窺いながらメンバー間のバランスを調整しているところがあります。ダンスリーダーとしてメンバーを牽引しつつも、日常的にはメンバーとメンバーの心をつなぐ彼が、BTS のやさしい世界の鍵であることは間違いありません。

このようなやさしい世界は、BTS の世界にとどまらず、いまの世の中に広くひろがっています。例えば、私が日々教えているいまの小中高生とかすごくやさしいんですよ。彼らって誰も 傷つけない世界線で生きている感じがあるんです。差別的な 言葉を使う子も減りましたし、少なくとも表面上は以前よりずっとやさしい世界が広がっていることを感じます。(あくまで全体的な傾向の話で、個別で見れば当然例外もありますが。)

そういう子どもたちのやさしさに、大人である私自身が癒されるところがあって、彼らのことが好きだなと思いますし、いまの子たちは空気感がいいなぁと惹かれるわけです。この感じって、いまの子どもたちと日々かかわっている人なら 実感している方が多いと思うのですが。

　そのような現代の子どもたちのやさしさとBTSのやさしい世界線はつながっています。いまの社会では、言葉は慎重に扱うべきだという考えが広まっていますし、「誰も傷つかない世界」をあらかじめ設計する方向にシフトしていると感じます。つまり、BTSのやさしさというのは、このようなダイバーシティの社会と連動していることを実感させます。

　しかしながら、彼らがリアリティ番組などで見せる「やさしい世界」はあくまで彼らの一面でしかありません。むしろ、「やさしい世界」と「痛みをともなう世界」をダブルバインドに示し続けてきたことが彼らの魅力なのです。

---

*注1　ラプラはラップラインの略で、BTSメンバーのうちラップを担当するRM、シュガ、J-HOPEの3人を指す。

*注2　2018年9月24日ニューヨーク国連本部にて　詳しくは6章を参照

*注3　V LIVE（RM）2019年12月14日

*注4　音楽ナタリー 2021年6月23日

BTSの「痛みをともなう世界」

　この二つの世界がどんなに近く隣りあっており、どんなに近くいっしょに寄りあっているかということは、なにより奇妙なことだった。

　　　　　（ヘルマン・ヘッセ『デミアン』「第一章　二つの世界」

　　　　　　　　　　　高橋健二訳、新潮文庫、1951年）

　BTS はバラエティなどで愛くるしい面を見せる一方で、音楽のほうではかなり硬派で、その歌詞は驚くほど陰鬱で深刻なものが多いです。楽観的な希望を示すような曲はほとんどなくて、むしろ、希望が見えない中で、戸惑いながら生きていることを観察的に描いた作品が多いです。

　2020年に発表された「ON」(アルバム『MAP OF THE SOUL : 7』収録) は BTS の数ある曲の中でも MV のダンスのキレ、パフォーマンスの難易度、歌詞の強度など、どれをとっても過去最高傑作の仕上がりになっていますが、批評家の浅田彰はこの曲の歌詞について次のように語っています。

> "Bring the pain"なんですよ…… "苦痛を持ってこい"っていう歌詞なんですね。要するに、なんかちやほやされて、今世界のスターだと言われてるけれども、もう自分がどこにいるのか何していいのかさえわからない、不安に満ちている。しかし、我々は戦うぞ、と。苦痛を持ってこいと。苦痛を血肉として戦うぞ、という曲なんですよ。[注1]

　BTS には「誰も傷つかない世界」どころか、誰もが傷ついて傷だらけにならざるを得ないような痛みの世界を、むしろ積極的に描いているという側面があります。

　BTS がこのような世界観を持つ背景に、多くの曲を作ってきたラップラインの3人 (RM、シュガ、J-HOPE) がアメリカや韓国内のヒップホップ音楽とその文化に多大な影響を受けていることは見逃すことができません。3人の中で特に

アメリカのヒップホップから大きな影響を受けているRMがたびたびリスペクトする人として挙げるのがニューヨーク・クイーンズ出身のラッパー、Nasです。かつてシュガの「Nasのヴァースの中で何かやれるのある？」という振りに対して、RMが迷いなく披露したのが、Nasの伝説的アルバム『Illmatic』（1994年）からの1曲、「N.Y. State Of Mind」でした。[注2] この曲には次のようなリリックがあります。

> I got so many rhymes I don't think I'm too sane
> Life is parallel to Hell but I must maintain
>
> オレはたくさんのライムを書いた　自分が正気だとは思わない
> 人生は地獄と並行してるけど　オレは自分を保たなければならない
>
> （Nas「N.Y. State Of Mind」1994年）

「ON」の歌詞にある「狂わないでいるためには狂わなければ」という言葉は、Nasのいくつかの言葉と近似しています。「ON」について、RMは次のように語ります。

> 「狂わないためには狂わないといけない」　正直僕はこれを一番言いたかったんです。
> 僕がいつもさまざまな方法で言っていることでもあるけど、何かひとつのことに狂うということ。ほんとうにこの世の中、この複雑なこの世の中には、人にとっ

てとても不条理なことが多いから。僕たちが理解でき
ない非合理にあふれていて。合理的であることを装い
ながら。

ある意味でほんとうに鳥肌が立つようなことが多い
じゃないですか。鳥肌が立つような人たちも多いし。
だから、そんな世の中で気をしっかり持って生きてい
くには、何かひとつのことに狂わないといけない。何
事も狂ってこそだし、それが自分の仕事だったり、あ
るいは自分の趣味だったり、何かに狂いながら生きて
こそ、狂わずにいられると思ったんです。

僕たちが防弾（バンタン）として持っているさまざまな懐疑や影（シャドー）の
ようなものに侵食されないようにするためには狂って
いないといけない。この話を最もたくさんしたかった
し、実際そのような話を僕の友人にも最もよく話して
いると思います。狂わないといけないって。それでこ
そ狂わないって。

（V LIVE（RM）2020 年 3 月 10 日）

　彼らが侵食されると語る影（シャドー）は、もともとユング心理学の
言葉として知られていますが、これについては「ON」が
収録されたアルバム『MAP OF THE SOUL：7』の 6 曲目
「Interlude：Shadow」の中でシュガが赤裸々に歌い上げて
います。成功すればするほど、より深く、より大きく広がっ
ていく影。それは自分自身について認めがたい部分だけれ

ども、そこと向き合わざるを得ないという葛藤が正直に綴られています。

　強烈な印象を残す「ON」のMVの中でも特に印象的なのが、ジョングクが歌うブリッジ部分のパフォーマンスです。この部分はほとんどアカペラで、大地に響き渡るような絶唱なのですが、聞く人を厳粛な気持ちにさせるとともに、心の深いところにあるドアをノックされるような、新しい世界との出会いを予感させるスピリチュアルな魅力を漂わせています。

　ジョングクは黄金マンネ[注3]と呼ばれるくらいですから、あらゆる才能に溢れているのですが、私はこの部分をジョングク史上最高のパフォーマンスのひとつだと思っています。聞いている人たちに、ヒリヒリとした痛みを味わわせるような全身全霊の歌の表情がそこにはあります。

　以上のように、「やさしい世界」と「痛みを伴う世界」という世界の両面を発信し続けていることがBTSの魅力です。つまり、彼らのデビュー当時から続く二面性のある活動自体が、世界は「やさしい世界」という片面だけではどうやっても成り立たないことを示唆していて、「誰も傷つかない世界」には決して収まりきれないリアルな「痛みを伴う世界」があることを彼らは執拗に歌い続けているのです。[注4]

　BTSの初期の曲の中でも特に刺激の強い曲のひとつ、「Am I Wrong」（2016年のアルバム『WINGS』収録）には、「このおかしな世界でおかしくなってないことがおかしい」という歌詞が出てきます。これは、「ON」の「狂わないでいるため

には狂わなければ」とつながる世界観ですが、このような「世界は狂いながら回っている」という認識がBTSのベースにある世界観です。人間はいつも過剰なものを抱えている存在で、誰しもが狂いながらしか生きていくことができないと。

　精神分析における人間理解のベースには、人間は過剰な生き物だという共通理解があります。人間に秩序を与えることで社会は形成されるのですが、それは本来の欲望を抑えつけることであり、そうすると人間は常に秩序をはみ出すような過剰な衝動を抱え込んでしまう。BTSはそのような衝動を「Dionysus」（2019年のアルバム『MAP OF THE SOUL: PERSONA』収録）の中で歌いました。こういう認識をアイドルの人気と両立させていることに改めて驚かされるのですが。「Am I Wrong」には、犬と豚や、コウノトリとダルマエナガなど、彼らがメッセージ性の強い曲の中でたびたび使うフレーズがたくさん出てきます。この曲の歌詞の中でメンバーは自分たちのことを「犬と豚」と呼ぶわけですが、これにはおそらく元ネタがあって、2016年に教育省の当時の官僚のナ・ヒャンウクという人が発言しているんです。民衆というのは、犬とか豚だと思って飯が食えるようにしてやればいいんだ。どうせ平等なんてありえない。上下格差があったほうが合理的な社会だ。そういう現実を認めるべきだ [注5] という主旨の発言をしたせいで、彼は国内で大きな批判を受けました。

　そのことを踏まえてBTS [注6] は歌詞に犬や豚を登場させ、「オレたちは犬や豚だ、つまりお前たち権力者が言うところの民衆だ」と言った上で、特権階級を批判するわけです。

他にも、例えばRMのソロ曲「Intro : Persona」(2019年のアルバム『MAP OF THE SOUL : PERSONA』収録)にも、「自分が犬なのか豚なのかそれとも他の何なのかさえ、いまだによくわかってない」という歌詞が出てきます。彼らは特権階級が支配する世界に対して「MAYDAY MAYDAY」と求難信号を出しながら [注7]、この世は地獄(HELL YEAH)と叫びながら、努力しても上昇できない庶民(アンダードッグ)という立場で歌います。

　もともと防弾少年団というグループ名に「若者に向けられる社会的偏見や抑圧を防ぐ」という意味があるのは有名な話ですが、それだけでなく、彼らのアイデンティティの根元に、コウノトリ vs ダルマエナガ(ペプセ)[注8] に象徴される階級問題や世代間格差の問題を追及するリアリティがあることは、彼らの音楽を味わう上で欠かせない認識です。

*注1　J-WAVE RADIO SAKAMOTO ARCHIVE 211107 より。浅田は「ON」について後日さらに次のように話している。「興味が再燃したのは『ON』を聴いたとき。最初期の曲で「大人の社会からの抑圧と戦おう、君たちも社会に NO と言え」と呼びかける『N.O』をひっくり返すと『ON』になるわけですが、「苦痛を持って来い、オレたちはそれを血肉として戦う」と歌うこの曲は、アイドル路線で成功し世界的大スターになった BTS の初心に帰っての戦闘宣言という感じで、「こいつら根性あるな」と感心したんです。」(アン・ギュチョル×浅田彰×桑畑優香 対談「モダンアートとBTS RM の美術眼」コレカラ 2023 年 1 月 25 日(ライター・露木桃子))ちなみに「ON」の2種類ある MV はまさに「二面性のある世界」の表現そのものであるが、そのうちのひとつ、Kinetic Manifesto Film のヴァージョンでは、ダンサーたちの軍服スタイルやメンバーたちのダンスがファッショであるとする批判がごく一部に挙がった。しかし、彼らはそもそもが「防弾少年団」でありファンダム名は

「ARMY」である（当然このこと自体にも批判はある）。このヴァージョンの MV ではまさに浅田の言う「戦闘宣言」が表現されており、彼らのデビュー以来のスタイルと矛盾するものではない。平和を体現するやさしさだけを見て取るようでは BTS の良さはわからないのだ。植民地時代（1920 年）のインドを舞台にした映画『RRR』（S・S・ラージャマウリ監督 2022 年）において、主人公のひとりである革命家のラーマが英軍との戦いで死んだ父の遺言を守り、故郷の人々に約束したのは「村の人ひとりひとりに武器を送り届けること」であった。そしてその「武器を送り届ける」という約束を果たしたことでこの映画は大団円となったのである。映画『RRR』、そして BTS の「二面性のある世界」が見せるのは、戦争と平和という二項対立の善悪判断をする手前に、そのようになる、ならざるをえなかったという現実の砂漠があること、さらには戦争と平和は分かちがたく混じり合っていて、一方だけを取り出すことなどできないということである。

*注2　How Well Does BTS Know Each Other? | BTS Game Show | Vanity Fair（2021）

*注3　歌もダンスも上手なのはもちろんのこと、何でも器用にこなしビジュアルも美しい。そんなマンネ（막내／末っ子）のジョングクに付けられた愛称。

*注4　彼らの作品は広範にこのような二重性に彩られているが、二重性そのものがコンセプトとして表れている代表的な例として、Rap Monster（=RM）のミックステープ『RM』のアルバムジャケットがある。この二重性について RM は、「あるときは肯定的だったのが、あるときは否定的で、希望を語ったかと思えば、また違ったり。僕の内面にあるいろんな面を取り出して作ったもの」「何でスモーキーな化粧をするんだ、何でテレビで可愛いふりをするのか、とか。純粋さを重視して男らしさを持っているヒップホップの観点からすれば、当然の批判だと思う。それでいつからか僕の自我を 2 つに分離しました。ミックステープ『RM』のカバーを白と黒に分けたのも（アイドルとヒップホップという）僕の二重的な面を見せるためでした。劣等感と被害意識を持ったところで発展はないと思いました。どっちも全部僕だという事実を受け入れて認めれば、完全な自分を見つけることができるという結論に行き着きました」（HIPHOP PLAYA RAP MONSTER インタビュー 和訳）と語る。彼らの歌詞に表れる二重性は、彼ら自身の分裂し多層に折り重なったアイデンティティと切り離せない。他に二重性をテーマにした曲として、ファンから熱い支持を受けているのがシュガのソロプロフェクト Agust D の "대취타（大吹打 Daechwita）" だろう。この曲は YouTube で公開から 2 年半（2022 年

12月）の時点でBTS名義外のメンバーソロ曲としては最高の4億回超の再生回数を記録している。自らの光と影の部分を歌詞とMVで照射するこの曲は、BTS関連作品全体を見渡しても最高傑作のひとつ。この曲とMVでシュガ（Agust D）に沼落ちした人も多いでしょう。

*注5　中央日報日本語版2016年7月12日　などを参照。この発言によりナ・ヒャンウクは教育省政策企画官を罷免になった。

*注6　この本で「BTS」を主語にする場合、メンバーだけでなく、他の曲作りにかかわる音楽家たちや制作スタッフを含むチームとしてのBTSというニュアンスがあることに留意してください。

*注7　「Am I Wrong」の歌詞に出てくる「Mayday」は、無線で緊急の求難信号を発信するときに使われる用語。フランス語の venez m'aider（助けにきて）に由来する。

*注8　詳しくは5章p99を参照。

PROFILE COLUMN

JIN

本名:キム・ソクジン(김석진)

呼び名:ジン、ソクジン

出身地:京畿道安養市

生まれた年:1992年

誕生日:12月4日

星座:射手座

　BTSの長男であるジンは、本文でも触れたように、執着を持たずに生きることを努めて意識している人です。彼は何も考えていないようで、考えないことを戦略的に選ぶという強さを持ち合わせている。もちろん悩むこともあるけれど、その姿は「BTSのジン」としてはファンに見せなくていい、とも話している。デビュー当時はたびたび涙を見せていた彼が、弱さを見せずに明るさばかりを振りまくようになったのはその覚悟の表れです。

　リーダーRMはメンバーの心の声を言語化し、さらに音楽にしてファンに届ける達人ですが(Vの無垢な透明さを1曲に仕上げた「Inner Child」などがその例)、BTSにとって最も大

きなテーマのひとつである「Love Myself」はたびたびこの言葉を使ってコメントするRMの言葉として認知されている一方で、実はジンの心を掬ってRMが表現し直したものと考えるコアなファンは少なくありません。

　　僕が幸せであることが重要なんだ。僕がふざけていつも「わぁ」って笑っている理由は、僕がふざけるのが幸せだっていうのもあるけれど、相手が笑うからもっと幸せなんだ。僕を幸せにするために相手を利用するってことだ。相手を笑わせて、僕を笑わせるんだ。

　BON VOYAGE Season2のエピソード（2017年）の中でジンはRMの前でこのように語ります。このときのジンのセリフはそのままLOVE YOURSELFツアーにおけるRMの言葉「僕を使ってください。自分を愛するために、BTSを使用してください」と相似形をなしています。（7章参照）相手を利用すると言えば言葉が悪いようですが、そんなに単純な話ではありません。むしろ、相手を利用しているという意識を明確化することが、ジン、そしてBTSメンバーの他人に対する倫理の中核にあるのです。

　BTSというチームは表現者の集まりで、メンバーそれ

ぞれが別の表現を持っていることが魅力です。しかし、チームに表現者しかいないと行き詰まります。ジンはBTSのボーカルとしてれっきとした表現者ではあるものの、同時に、生活者の視線のようなものを持っています。彼はその冷静な観察眼で、物事をあるがままに受け取ってきました。

　チームが表現者だけだと、その表現は聞く人の生活や感情に根づきにくいものです。ジンの生活者の視線があるからこそ、チームとしてのメッセージに説得力が出るし、表現に広がりや深みが増す。ここにBTSの大きな魅力があります。また、「そんなに深刻にならなくてもいい」という考え方を持った人が、しかも、温かい愛情を秘めたユーモアあふれる人が、年長者を敬う韓国社会の中で「長男」だったことは、チームにとって大きなプラスだったことは疑う余地がありません。

第 3 章

アイデン
ティティ

抑圧する大人たち

> なぜ、青年たちは美しいのだろうか？　人生において
> 根本的なことに悩んでいるからだ。その悩みが解決で
> きないことを知りながら、それでも必死に喘いでいる
> からだ。そして、それを自分の欠点として自覚してい
> るからだ。それを克服していないからだ。
>
> （中島義道『カイン』新潮文庫、2005年）

　BTSの楽曲やパフォーマンスを、他のK-POPグループと
は全く違う特別なものと感じているファンは多いです。一
般的に「推し」は取り替えが容易なはずなのに、多くの
ARMYたちがBTSの代わりはいないと確信していて、その
表現を唯一無二のものと感じています。

　これには理由があって、それは何と言っても彼らメン
バーが楽曲作りの主軸を担っているからでしょう。彼ら
の曲には彼らのオリジナリティがしっかりと刻印されてい
ます。しかも制作を担当する主要メンバーがRM、シュガ、
J-HOPEの3人もいるから、その表現は多彩です。

　かつて、所属事務所の代表であり、彼らのプロデューサー
でもあるパン・シヒョクは「会社は、防弾少年団に先に企
画し提案したことは一度もない。彼らの音楽には触れては
いけない」[注1] と発言していますが、彼ら自らが音楽を制
作し、しかもその内容を会社が全面的に信頼するという関
係のもとでBTSの楽曲は発表されてきたのです。（楽曲の完

成度を高める際にPdoggをはじめとするプロデューサー陣の力が大きく貢献したことは言うまでもありませんが。)

　また、BTSにはデビュー以来、自分たちにとってのリアルを正直に歌うというアイデンティティがあります。これは、ヒップホップからキャリアをスタートさせた彼らにとってはオーセンティシティ（真実性）を土台にするという意味において肝になるこだわりです。彼らの音楽から唯一無二性を感じられるのは、偶有的属性から絞り出された彼らひとりひとりの表現が、グループの中で発火して多くの人たちの内なる必然を捉える力へと変化を遂げるからでしょう。

　彼らは、活動初期には学生の立場としてのカウンター、例えば学校や受験制度が強いる抑圧や、親をはじめとする大人の理不尽な干渉などをテーマにした楽曲を多数発表していましたが、次第に大人へと成長するにつれて、社会の中で生きる複雑な葛藤を描くようになります。

「抑圧ばかりされてた人生、お前もその主題になってみろよ」

　デビュー曲「No More Dream」（2013年のアルバム『2 COOL 4 SKOOL』収録）に込められたこのメッセージは、BTSのキャリア全体に通底するテーマです。この曲をはじめ、BTSのほとんどの楽曲の作詞に関わっているRMは、教育熱心な両親のもとで学生の頃に数えきれないほどたくさんの塾に通ったり、12歳でニュージーランドへ留学したりした「ガリ勉」エピソードがファンの間で知られています。

　日本以上に過熱した韓国の学歴社会を反映した「勉強ばかりする機械」「1位以外は落ちこぼれ」「みんな同じ操り

人形の人生」「一体誰が責任を取ってくれるんだ？」「「N.O」
（2013年のアルバム『O!RUL8,2?』収録）より］のような歌詞には、
若者の苦しみが描かれるだけでなく、大人が設計した競争
社会を根っこから疑う姿勢が見られます。これらはまさに
彼らが学校生活や受験勉強を通して抱いた違和感に基づい
ており、彼らの初期衝動と言えるものです。

　また、「INTRO：O!RUL8,2?」（アルバム『O!RUL8,2?』収録）
の中には、「父は"人生を楽しめ"と言ったが、オレは父に
"あなたは人生を楽しんだのか"と尋ねてみたい」という内
容の歌詞がありますが、これは言行不一致の大人に対する
痛烈な皮肉です。

　世の中の親たちは、子どもが個性を伸ばしながら、自由
に生きることを望んでいるはずなのに、結局のところ、肝
心なときには我が子が他の大勢と同じレールに乗って無難
に進むことを願うものです。我が子が道を外れそうになると、
「現実を見なさい」と無理にでも軌道修正をしようとしてし
まいます。

　そういう親たちが子どもに「（自分の）人生を楽しめ」と
言うことは大いなる矛盾です。じゃあ、あなたは自分独特
の生き方を選んできたのですか？　自分らしい人生を楽し
んでいるのですか？　そういうふうに子どもから尋ねられ
たら、親はいったい何と答えることができるのでしょうか。
子どもの幸せを望んでいるはずなのに、知らず知らずのう
ちに自分の人生の「うまくゆかなさ」を投影して、子ども
独特の生き方の芽を踏みつぶしてしまっていることに気づ

かない親も 多いのです。

---

*注1　Korepo KOREA ENTAME SITE 2017 年 4 月 27 日　パン・シヒョク 代表 インタビュー

バンタンの初期衝動

　彼らの初期のキャリアにおいては、防弾少年団のコンセプト（＝10代・20代に向けられる社会的偏見や抑圧を防ぎ、自分たちの音楽を守り抜く）のとおり、学校教育や受験戦争、身近な大人や親など、学生たちにステレオタイプの価値観を押しつける対象を批判しながら、同時に同世代の若者たちに抵抗を呼びかける作品が多く見られました。

　しかし、このような彼らの初期の活動は、ファンたちの間でさえ「青臭すぎてムリ」「中二病（厨二病）っぽい」と言われることがありますし、業界の中では「H.O.T.時代から存在してきたアイドルグループの古い見え透いた産業的な手法」[注1]、「ミソジニー的な考えが映しだされている」[注2]のような批判にさらされてきた面があります。

　初期の彼らには音楽（特にヒップホップ）にとっての正解を純粋に追究するあまりに、結果的に自らそのステレオタイプにはまってしまった要素が見受けられるし [注3]、それが周囲からの批判を許すもとになっていました。

　でも、初期の彼らにしかない魅力があることもまた事実で、あどけない表情で高度なパフォーマンスを披露するジョン

グク、はち切れんばかりの筋肉で躍動するジミン、落ち着きがなくて危なっかしいテテ、とがったヤンチャぶりを隠しきれないシュガ、リアクションに内気さを漂わせるジン……など、2016年ごろには薄れていくその頃だけの初々しさをいつまでも愛しているファンの方も多いのではないでしょうか。

そして、「オレたちは音楽でのし上がってやる」という決意をそのままぶつけるような、洗練からは遠いノイズ混じりのパフォーマンスを見ていると、彼らがその後どんどん魅力的な大人になって、世界一のアイドルグループに成長していくことを手放しに喜べないファンたちがいることも頷けます。

彼らと第4世代アイドルたち［注4］との一番の違いは、バンタンにはとにかく強烈な泥臭さがあるけれど、もっと若い世代のアイドルたちはデビュー当初から洗練されているところです。初期衝動に突き動かされる若い彼らは、決してきらびやかなアイドルとは言い難いのですが、でもその瞬間にだけ花開いた青春の輝きは、永遠不滅の魅力でいまもARMYたちの心を鷲づかみにするのです。

私は日ごろ、仕事で小6から高3までの子どもたちの指導に携わっており、はじめ11歳だった子どもが葛藤を繰り返しながら18歳まで成長していくダイナミズムを日々観察しています。

その中で気づいたことがあるのですが、中学生のときにやたら大人に反抗的だった子どもたちが、高2、高3くらい

になると急に大人しくなって、物わかりがよくなっていくということがたびたび起きるんです。

これはきっと、彼らなりの社会に適応する準備なのでしょう。適応することが「大人になる」ことであり良いことであるという風潮の中で、子ども時代に宝物のように抱えていた生きる実感を捨ててでも、自分を社会の枠に当てはめる努力をした結果でしょう。

大学生くらいになると、彼らは反抗的だった自分の過去のことを、あのときは青臭かった、社会のことがわかっていなかった、などとバカにさえするようになります。そんな彼らを見ながら、彼らの「あのとき」を知っている私は複雑な気持ちになります。「あのとき」の葛藤や違和感は決してバカにできるようなものではなく、むしろ理不尽さが覆いつくす社会を変える起爆剤になる可能性さえ秘めたものだったはずなのです。

こうして、子どもの頃に誰もが抱いていた生きる実感は、社会との摩擦で抑圧され、摩耗していきます。私はそのことを別の著作 [注5] に書いたのですが、これについて、哲学者の千葉雅也さんが明晰にまとめてくださっています。

人が成長する過程、というか人や環境との関わりによって進行する教育的プロセスは、しばしば、「表ではそういうことにしておく」への適応である。鳥羽さんは、子どもたちにもともとあった「生きる実感」が適応によってスポイルされていくことを嘆いている。（中略）大人は、もともとの生きる実感あるいは欲望を

抑圧されて自信を失い、他人にもまた同じような抑圧を味わわせようとする。そこには復讐の連鎖があると言えるだろう。ルサンチマン［注6］の連鎖である。経済的・社会的に有利な立場へのルサンチマンよりも根本的な、集団的に生きるために欲望を諦めて規範に適応せざるをえなかったということへのルサンチマンである。この精神分析的なプロセスを念頭に置かなければ、社会は理解できない。ある規範が良いか悪いかよりも手前で、規範への適応によって何が抑圧されているのか、と問わなければならないのである。

人生は単純ではない。規範への適応がみずからを縛るが、規範なしでも生きていけない。だが、その煮え切らなさ、割り切れなさが面白いのだ。様々な二重性のなかで行き来するリズムが、人生の音楽なのだ。

（千葉雅也「新時代の『道徳の教科書』」鳥羽和久『君は君の人生の主役になれ』書評、webちくま2022年11月1日）

　多くの大人が思春期の葛藤を未熟さの象徴として語るのは、実はそこにこそ大人の隠したいものがあるからです。それがルサンチマンであり、生きる実感を抑圧された恨みです。大人は現在の自分に関わる重大な秘密がそこにあることが実はわかっていて、だからこそ思春期の葛藤に「照れる」ことを通して、その葛藤を先延ばしにすることで生きているのです。

　BTSの初期の楽曲には、コウノトリとダルマエナガの対比［注7］に見られるように、経済的・社会的に有利な立場の人

たちへの痛烈なカウンターが刻まれていますが、それ以上にもっと根本的な、若者が欲望を抑圧されて自信を失いかけているさまが描かれており、それに対する怒りと割り切れなさが織り込まれています。[注8]

そして、大人になり、世界の大スターになっても、彼らはそういう初期の葛藤をバカにすることなく手放しませんでした。葛藤を手放さないことで、それを自分たちの音楽における抵抗の拠点とし続けました。そこにBTSの独自性があります。

---

*注1　HIPHOP PLAYA RAP MONSTER インタビュー 和訳　@1013_0901 より。H.O.T. は 1996 年にデビューした韓国第 1 世代のアイドルグループ。グループ名は「High-five Of Teenagers」に由来しており、「10 代の代弁者」をコンセプトとしていた。また、韓国のヒップホップアーティスト B-Free は、2013 年 11 月 21 日にソウルの上水洞にあるカフェで開かれた「キム・ボンヒョンの HIP-HOP 招待席」の 1 周年公開放送で、BTS としてデビューして間もない RM（当時は Rap Monster）とシュガに対して彼らを批判する発言をして物議を醸したが、そのときに B-Free が発言したのが「アイドルは音楽ではなく、産業化した概念だ」という内容だった。それに対する彼らの明確な回答のひとつが「IDOL」(2018年) である。

*注2　韓国国内で女性の人権に対する認識が高まる中で、2016 年に彼らの楽曲「War of Hormone」(邦題「ホルモン戦争」) や「Boy In Luv」、さらに RM のミックステープ「농담 (Joke)」の歌詞または MV などの中に、ミソジニーの表現が含まれているとして問題提起がなされ、所属事務所 Big Hit は公式に謝罪の立場を表明した。[『BTSとARMY わたしたちは連帯する』(イ・ジヘン 著、桑畑優香 訳)、及び、shethepeople THE WOMEN'S CHANNEL BTS' Evolution From Crass Sexism To Considerate Feminism Tarini Grandhiok 2020 年 10 月 6 日]

*注3　先のミソジニーの問題は、初期の彼らが「男性らしさ」を要請するヒップホップ音楽を土台にした曲作りをしていたことと切り離して考えることはできない。RM の過去の複数のインタビューを読めば、彼がいかにし

て「ヒップホップらしさ」の呪縛から逃れてジャンルに捉われない BTS らしさを構築しようとしてきたか、また、かといってヒップホップの可能性を諦めることなく、その編み直しをどのように図るかを考え続けてきたことがわかる。[HIPHOP PLAYA RAP MONSTER インタビュー（2015）〕／RollingStone RM Cover Story（2021）など] しかしながら、RM がデビュー当時、ある未熟さを抱えていたことは疑う余地がない。BTS の曲「If I Ruled the World」（2013 年）の中で "Westside Till I Die" と叫んでいることをインタビュアーから指摘され、「僕が完全に間違えました」「僕が "ウエストサイド" に住んでいないうえに（中略）その曲が G-Funk スタイルのサウンドでも僕がそう叫ぶことはウエストコースト・ヒップホップのミュージシャンたちを尊重するやり方ではなかったです。"Westside Till I Die" という言葉の中には様々な意味が込められていると思います。汗、闘争、自負心とか、人生を圧縮したフレーズじゃないですか」「結果的に、軽率でした」[HIPHOP PLAYA RAP MONSTER インタビュー（2015）] と RM（当時は Rap Monster）は述べている。例えば白人ラッパーであるエミネムは決して N ワードを用いないことが黒人文化に対するリスペクトの証としてヒップホップの文脈の中で好意的に受け止められてきた。この意味では、RM が "Westside Till I Die"と叫ぶことは、本人が言う通りウエストコースト・ヒップホップのミュージシャンたちの領域を外部者が土足で侵犯する行為にあたると取られてもしかたがないところがある。（しかし、著者はこれを「文化の盗用」の文脈で批判する立場にはない。他文化の「真似事」による生成変化はまぎれもなく新しい文化を醸成する起爆剤であり、また、「文化」をことさらに保護の対象として守ることは、「文化」の権威付けのためにはなっても個別の表現の支えにはならず、ひいては文化の醸成にもつながらないからである。また、「文化の盗用」という概念は、文化を所有できるものだと考える資本主義的価値観が前提になっている点で、胡散臭さがある。）初期に見られる「ヒップホップでありたい」という欲求から生じた借り物のような歌詞には、ミソジニーを含むマッチョさや暴力的な過激さが不用意に見受けられるが、彼らは ARMY たちの意見も取り入れながら、さまざまなジェンダーバイアスから自由になろうと努力してきた。RM は「ARMY が僕をよりよい人間に変えてくれた、だから彼らをリスペクトしている」とインタビューで何度も語っているが、これは初期作品で自らが見せた未熟さに向き合い、よりよい人間になろうと努力してきた彼だからこその重みのある言葉として響く。

＊注4　BTSはK-POPの第3世代（2012年以降のデビュー組）で、他にEXO、NCT、

Red Velvet、MAMAMOO、TWICE、SEVENTEEN、BLACKPINK などがいる。第4世代（2018 年以降のデビュー組）は ITZY、Stray Kids、TOMORROW X TOGETHER、aespa、TREASURE、ENHYPEN、IVE、LE SSERAFIM、NewJeans などで、2023 年現在まだ 10 代のメンバーを含むグループが多い。

*注5 『君は君の人生の主役になれ』（ちくまプリマー新書）の第 1 章を参照。

*注6 ニーチェの用語。弱者が敵わない強者に対して内面に抱く鬱屈した復讐心、怨恨。

*注7 5章 p99 を参照。

*注8 欲望の抑圧や規範性の押しつけに対する怒りと割り切れなさがそのままテーマになっているのがシュガのソロプロジェクト Agust D の作品群である。

故郷を歌うアイドル

　　BTSのアイデンティティの発火点としてたびたび話題に上るのが、彼らの出身地の話です。BTSはメンバーが7人いるのに、ソウルで育ったメンバーがひとりもいないことで知られています。とは言っても、ジンとナムジュンはソウルから程近い場所で育っています。日本でいえばジンの出身地の京畿道の安養市が都内の町田市、ナムジュンの京畿道高陽市が埼玉県の所沢市という感じで。（あくまで私のイメージです。）

　　そして、ユンギとテテは、慶尚道の大邱（広域市）です。大邱はソウルと釜

山に次ぐ国内第3の都市圏を形成していますから都会です
が、アジア有数の巨大都市ソウルから見たら一地方都市に
過ぎません。日本でいえば名古屋あたりのイメージでしょ
うか。そして、ジミンとジョングクは同じ慶尚道で国内第
2の都市釜山です。日本でいえば大阪でしょうか。共に慶尚
道に位置する大邱と釜山は、ちょっとアクが強いイメージ
があります。

　そして最後にホソク（J-HOPE）は全羅南道の光州（広域市）
出身なんです。光州は都市の規模的には、日本で言えば福
岡くらいの感じです。

　韓国は日本の面積の約4分の1という小さい国の割に、
地域対立がくっきりと存在する国です。（いまの若い世代は随
分意識が変わってきていると思いますが。）

　例えば、大統領選挙などの地域別得票率を見ると、いま
だに選挙が地域合戦の様相を呈していることが如実にわか
りますし［注1］、私自身も韓国内で金大中大統領［注2］は全
羅道の誇りだと熱く語るタクシードライバーに出会い、そ
れを肌で感じたことがあります。

　BTSメンバーの中でユンギ、テテ、ジミン、ジョング
ク、4人が慶尚道出身で、それに対してホソクが全羅道出
身なわけですが、全羅道と言ったら、日本の皆さんも中高
生時代に歴史で習った百済のことで、慶尚道というとほぼ
新羅にあたります。

　この2つの勢力は歴史上ずっと対立してきました。しか
も対等ではなくて、慶尚道側が支配側、全羅道側が抑圧さ

れる側としての一方的な関係があるわけです。それは決して古い話ではなく、例えば日本でもその名が知られる戦後のセマウル運動［注3］でも慶尚道を優先したインフラ整備が進み、全羅道は後回しにされました。いまだに民間レベルでも結婚や就職などをめぐる差別がくっきりと残っています。このような歴史と差別構造の文脈の中で、1980年に起こった光州事件［注4］についても理解しなければなりません。

　光州事件の悲劇は当時の軍事独裁政権が民衆を無惨に殺戮したことだけに留まりません。全斗煥政権は、この事件を北朝鮮の策謀による暴動と位置づけて、国民に刷り込みを図りました。その結果、保守の地盤である慶尚道では、全羅道の革新勢力のバックには北朝鮮がいると公然と非難し差別する風潮が生まれ、地域対立がますます先鋭化したのです。

　BTSの曲の中に「八道江山（Paldogangsan）」（2013年のアルバム『O!RUL8,2?』収録）という、歌詞に方言ばかりが出てくるユニークな曲があります。曲の中でJ-HOPE（全羅道代表）とシュガ（慶尚道代表）掛け合いがあるのですが、これがもう、笑いながら泣いてしまうような何とも言えない味わいがあるんです。ド本気な一途さとコミカルさのハイブリッドのようなこの曲は、歴史的背景を知った上で聞くと感情がどうしようもなく揺さぶられます。

　私は2019年に光州を訪れました。すごく魅力のある街です。BTSのホソクだけでなく、少し前だったら、東方神起のユンホ、2NE1のミンジ、KARAのハラや元miss Aのペ・

スジ、最近では MONSTA X のヒョンウォンやチャンギュン、STAYC のジャユンなども光州出身で、「K-POP スター通り」の建設が進むほど K-POP ファンには知られた街です。（人口の割に芸能人の輩出が多いイメージがあるところも福岡に似ています。）

　光州に行って肌で感じたのは、いまだに事件の衝撃が風化しておらず、どこかであのときの時間と現在がつながっているということです。この場合の「風化」とは、確かに生きていた小さな声がかき消されて死んでしまうことです。記念碑という固形物としてモニュメント化されてしまうことです。広島の原爆ドームもやはりモニュメント化からは免れられておらず、それは別の言い方をすれば、個別の捉えがたい経験が、形式的な全体性の「語り」に覆われてしまっているのです。ここには「語る」ことがむしろ歴史を形骸化してしまうという逆説があり、つまりそれは「語り」から「騙り」への変質です。［注5］

　この点で、光州はいまだに生傷が癒えないままに見える場所であり、声を奪われた霊が、奪われたままにいまも漂っていることを肌で感じました。

　光州市内の5・18民主化運動記録館などにある事件に関するおびただしい数の展示は、できるだけ精密にそして公平に事実を明らかにしようという熱量が感じられました。そして、館内に立ち並ぶ多数の人型のオブジェは、容易な解釈に抗うように、物語化を拒むように、見る人に厳しく対峙していました。そしていつの間にか、自らもその場に巻き込まれて身動きがとれなくなり、言葉を失ってしまうような展示でした。

　光州事件のときに利用された「アカ」のイメージをともなう全羅道に対する差別意識は、いまも国内に根深くあります。ですから、いまも光州事件と向き合い、それに対して何らかのリアクションをすること自体が、韓国という国の大きな葛藤の現場にダイレクトにアプローチすることであり、それは極めて政治的なアクションにならざるをえません。

　BTSは楽曲の中で光州事件について触れていますが、彼らのようなトップアイドルの中に、このような歴史に裏打ちされた批判精神が深く織り込まれていることは、日本のアイドル産業を見慣れた目からすれば驚くべきことです。しかし、それは韓国の人々が激動の現代史に近接した今を生きており、2014年のセウォル号事件や2022年の梨泰院ハロウィン事故の例を出すまでもなく、何度もフラッシュバックを呼び起こすほどの苛烈さで人々の記憶に刻まれていることを考えれば、そこには何の不思議もありません。

5・18民主化運動記録館（撮影著者）

*注1　2022 年 3 月の韓国大統領選地域別得票率では、保守系の尹氏は保守の地盤である慶尚道地域、釜山、大邱などで支持を集める一方、進歩系の李氏は全羅道地域、光州で8割を超える票を得ている。

韓国大統領選 2022 地域別得票率

	李在明（進歩派）	尹錫悦（保守派）
全国	47.83	48.56
ソウル市	45.73	50.56
釜山市	38.15	58.25
大邱市	21.6	75.14
仁川市	48.91	47.05
光州市	84.82	12.72
大田市	46.44	49.55
蔚山市	40.79	54.41
世宗市	51.91	44.14
京畿道	50.94	45.62
江原道	41.72	54.18
忠清北道	45.12	50.67
忠清南道	44.96	51.08
全羅北道	82.98	14.42
全羅南道	86.1	11.44
慶尚北道	23.8	72.76
慶尚南道	37.38	58.24
済州道	52.59	42.69

（毎日新聞 2022年3月10日のデータより）

＊注2　金大中は全羅南道出身の韓国第 15 代大統領。歴代の韓国大統領のうち、唯一の全羅道出身者。在職は 1998 年～2003 年。1980 年 5 月17日に逮捕されたことが光州民主化運動（光州事件）のきっかけとなった。2000 年にはノーベル平和賞を受賞。彼の「自分が血と汗と涙をささげない民主主義は本物ではない」という言葉は、BTS の曲タイトル「血、汗、涙」と響き合う。

＊注3　「新しい村」の意。農村の近代化、所得拡大を目指す運動。1970 年代に慶尚道出身の朴正熙大統領の指導の下進められた。

＊注4　1980 年 5 月18日に光州市で起きた 10 日間にわたる大規模な反政府蜂起。軍隊の武力鎮圧によって若者を中心に多数の死傷者を出した。

＊注5　「語る」ことは因果関係を差し挟むことを通してわかりやすく物語化することが避けられない。しかし、このような作用こそが、人間の声を、中でも歴史の中で虐げられた人々、抑圧された人々の声をかき消してしまうのである。人間は因果関係を好むが、因果関係で生きているわけではない。思想家のヴァルター・ベンヤミンはこのような物語的な歴史観に抗うために「歴史的唯物論」を提唱した。

Ma Cityの誇り

　光州生まれの作家、ハン・ガンをご存知でしょうか。光州事件が取り上げられた作品としてハン・ガンの小説『少年が来る』[注1] をぜひ読んでみてほしいと思います。この本はRMの愛読書としても知られています。

　小説では光州事件で殺された霊が語ります。それは静かな小さい声。ハン・ガンは、自身が子どものときに起きたこの出来事を書くにあたって、確かにそこにあった個別の声が、象徴化され、形式化された語りになることに抗うために小説の形式を必要としたのでしょう。

　BTSの楽曲の中で、光州事件が取り扱われている曲が「Ma City」（2015年のアルバム『花様年華 pt.2』収録）です。登場するのは、やはり光州出身のJ-HOPEのヴァース部分です。

　歌詞の中で、ホソク（＝J-HOPE）は自身が全羅南道、光州出身であることを高らかに宣言したあと、「オレは光州の熱気を全身に帯びて、音楽をやっているんだ」と歌います。さらに、「法を放棄することはない」、つまり、法治国家のプライドをかけて民主主義を放棄することはないことを宣言することで、民主主義を無視して法外な弾圧をした光州事件当時の政府を揶揄していることが容易に読み取れます。

　さらに、「KIA入れて、エンジン全開」という歌詞がありますが、この「KIA」というのは、車の鍵のkey（もしくはギア）と、自動車メーカーのKiaを掛けています。そして、「エンジン全開」という言葉がありますが、ここから何が想像

されるか、光州事件を描いた映画『タクシー運転手』(監督チャン・フン)を観た方ならきっとわかると思います。車ごと突っ込んで砲弾から街の人たちを守ったタクシードライバーたちです。オレはそれくらいの覚悟でやってるんだと彼は言ってのけるのです。

　曲の後半でホソクは「オレに会いたいなら7時に集合」と呼び掛けます。なぜ7時かといえば、韓国内のネット右翼が集う「イルベ」掲示板では、全羅道に対する蔑称として「7時国家」のような「7時」を含む隠語がたびたび使われているからです。[注2] これは、ソウルから見たら全羅道が時計の針の7時の位置にあることからきているのですが、それをライブの開始時間と掛けて、歌詞に登場させているわけです。(この事実だけでも韓国内のメジャーアーティストとしてはこの歌詞を発表するのは勇気が必要なはずです。)

　ちなみにホソクはすでにデビューの年に「八道江山」の中で「黒山島のガンギエイをいっぺん食べてみたらと言いたいね」と歌っていて、これも掲示板で全羅道が「ガンギエイ国」という蔑称で呼ばれていることに対するカウンターと取ることが可能です。

　さらに「Ma City」の最後には、暗号めいた「062-518」という数字が登場しますが、これは、062が光州の市外局番で、518は光州事件が起こった5月18日のことです。ちなみに、市外局番で地名を表すのは、ヒップホップのスラングでは常套手段です(マンハッタン＝212、マイアミ＝305など)。こういう仕掛けを歌詞に入れ込むところが「アイドルらしからぬ」ところです。この曲のアイデアはもともとシュガ

が高校時代に作った5.18の追悼曲、「518-062」からきているのですが、BTSが大手からデビューしていたら、おそらくこれほどには政治性が込められた自由度の高い曲を出すことはできなかったのではないでしょうか。

　光州事件を指揮した全斗煥大統領は2021年の11月に謝罪がないままに亡くなりましたが、事件の対応と経緯に対する批判は絶えません。全羅道の多くの人たちはいまも決して許していないのです。[注3]

　BTSが「Ma City」を光州のワールドカップ競技場でパフォーマンスした際には、韓国国内で大きな話題となりました。

> 防弾少年団のメンバーたちは、2015 年に出した『花様年華 pt.2』収録曲「Ma City」で自分の故郷に対する誇りを熱く歌った。光州国際高校出身の J-HOPE がこの歌の中の自身のラップパートに書いた歌詞を見ると、彼が「民主主義都市光州」の地元っ子だという自負心に染まっていることがわかる。
>
> 　　　　　　　　　（ハンギョレ新聞　2019年4月25日）

　現在、「Ma City」はBTSにとって特に大切な曲のひとつとしてファンの間で広く知られており（この曲は2022年10月に開かれた、彼らの集大成ともいえる釜山コンサートのセットリストにも含まれました）、韓国内や世界中の若い人たちに光州事件について深く学ぶための機会を与えています。

　日本国内のトークイベントの中で、私がBTSの歌詞の中にある政治的な背景に触れると、「BTSって積極的に政治にコミットしてますね」みたいな感想をもらいがちなのですが、そういう言い方は十分に彼らの姿勢をフォローできていません。

　彼らの音楽を深く知るためには、もうすこし「政治」の意味合いを拡張して捉える必要があります。BTSの認識の土台にあるのは、もっとシンプルに、人は生きていく上で政治的であることは避けられないということです。

　RMは2020年のインタビューで「何にでも最終的には政治が関わる。小さな石ころにだって政治が関わってくることはある」[注4] と話しています。

　彼らにとっては、例えばさまざまな出身地のメンバーが集まって音楽をするという事実がそのまま政治でした。だから、デビューまもなくして彼らがみずからの出自を歌ったことは必然でした。

　他者との摩擦の中で共存するために秩序を作っていくこと。一方で、ときには傷を負いながらも自分独特の道を探ること。このダブルバインドこそが政治であり、BTSの音楽には規範と自由、同一性と差異といった両極の緊張した政治関係が見事に描かれています。

＊注1　『少年が来る』ハン・ガン（韓江）著、井手俊作 訳、クオン、2016年

＊注2　日本国際情報学会誌『国際情報研究』14巻1号　金善映「インターネットにおけるヘイトスピーチと右傾化現象を読み解く」

＊注3　「Ma City」については、辛淑玉「光州事件で殺された人々の声が聞こえる〜BTS（防弾少年団）から日本と世界を見つめる（3）」（WEB 世界

2019年9月18日）に魂が宿った深い考察がある。

＊注4　『Newsweek 日本版』2020年12月1日号　「BTS（とARMY）が変え
　　　た世界」レベッカ・デービス

SUGA

本名：ミン・ユンギ（민윤기）

呼び名：シュガ、ユンギ、ミンシュガ

出身地：大邱広域市

生まれた年：1993年

誕生日：3月9日

星座：魚座

　これまで、たくさんのトークイベントでARMYの方々に
お会いしたのですが、ちょっとヤバい人が多い（ほめてる）
と感じたのがユンギペンの方々です。

　他のペンもそうかもしれないけど、ユンギペンの人た
ちって、もうほんとうにユンギの全身を愛していて、肌の
美しさをほめるだけでなくて、「骨格が好き」「耳が好き」、
果てには「歯茎が好き」と言い出す。しかも、ユンギペン
どうしがそういうフェチレベルが高いところで簡単に通じ
合ってしまう。これには何度も驚愕してきました。

　シュガといえば技術力が半端ない高速ラップで知られて

いて、私自身、初めて彼のソロプロジェクトAgust Dの
MVを見たときは衝撃でした。

　シュガはメンバーの中では上から2番目で、特に多くの
曲の制作に関わってきたメンバーのひとりです。BTSの
メッセージの中核にあるアンビバレンスの象徴のような存
在で、誰よりも自分の欲望に忠実な人という印象を私は
持っています。

　彼はデビュー以来、人生におけるアンビバレンツなバラ
ンスについて語ってきました。好きには嫌いが混じってい
ること、夢はあったらいいけどなくてもかまわないこと、
信念もいいがそれよりも柔軟に生きることなど。
　シュガのこのような姿勢はときに誤解を受けることもあ
りました。2022年の防弾会食 [注1] で曲の制作について彼
は「2013年以来、一度も楽しいと思いながら音楽制作を
したことがない」と発言しましたが、この言葉は一部の
ファンたちに衝撃と失望を与えました。しかしこのときに
彼は「この仕事をしながら、楽しかった瞬間のほうがずっ
と多いけれど、ほんとうにつらかった瞬間もすごく多い」
とも話しており、つまり彼は、幸せや喜びだけを手にする
ことなんてできないし、それだけではむしろつまらないこ
とを知っている人なのだと思います。[注2]

インタビューで「感情のコントロール法は？」と尋ねられて、「感情に意味付けをしないこと」と答える [注2] 彼は、自身の欲望を観察しながら、それに対して冷静に処する方法を知っています。

　そんな彼だからこそ、メンバーたちの間でも精神的な拠り所となっているし、ファンたちもBTSというチームの魂の中心にユンギがいることを感じるのでしょう。

　シュガといえばARMYたちからツンデレな猫ちゃんだねと言われます。これは言い換えると、何よりも関係性を大切にするBTSというチームの中で、彼だけがベタベタした関係性を嫌う猫的非関係性を体現しているという意味で興味深いものです。つながることを求めること、他人に期待することよりも、ただひたすらに自分の欲望に忠実であること。それによって自分にしか見えない世界を深く感受すること。それらがシュガの魅力を形づくっています。

　ユンギペンは、シュガという猫を心の中で飼うことでしかえられないやさしさを知っている人たちです。

注1　　2022年6月14日にBTS FESTAのファン向けのコンテンツとして動画投稿サイトにアップロードされた。詳しくは終章のp157を参照。

注2　　シュガの防弾会食の際の発言については、p73で詳しく触れる。

注3　　2022年『Proof（Collector's Edition）』インタビューより

第 **4** 章

BTSの
精神分析

「好き」との付き合い方

　BTSは、大人たちによるパターナルな抑圧からの解放を訴えるとともに、たとえ生傷は避けられないとしても、自分が好きなように人生を楽しめと訴えます。

　でも、彼らが言う「好きなように」はちょっと複雑です。「好きなこと」を見つけて人生楽しもうというメッセージがある半面で、「好きなこと」なんてそんなに一面的に言えることじゃない……という葛藤まで織り込まれていて、そういうダブルバインドをそのまま抱え込んでいるところが彼らの持ち味です。

　シュガは2021年の韓国版GQ誌のインタビューで「好きなことを長く持続する方法はありますか？」と質問され、次のように答えます。

> あまり好きにならないようにすることですね。好きすぎると長くできません。音楽をとても愛していましたが、あまり好きにならないように努力した時期がありました。いまも好きになりすぎないよう努力しています。　（韓国版「GQ」2021年10月取材、「GQ Japan」2022年4月号掲載）

　シュガは「好き」という熱意に対して敢えて距離を取ることで、好きを継続することができると言います。シュガがこうした俯瞰した見方ができるところには秘密があります。

> この仕事って自分が好きで始めたんですけど、ある意味では愛憎なんですよね。
>
> 嫌だったり好きだったりします。でも、この仕事がないと生きていけない気がします。ライブや音楽のない人生を考えたら、すごく退屈な気がします。
>
> （BTS BREAK THE SILENCE 2019年）

かつて精神分析家のラカン（1901-1981）は、快と不快が入り混じったような両義的な気持ちよさのことを「享楽」と呼びました。それはリスクの波打ち際にあるものであり、生と死の狭間でこそ生を実感するような、生の保存本能では説明できないような過剰な喜びを求めることです。

例えば、わかりやすい例としては、エベレストやK2といった危険な山を登る登山家たちは、生と死の狭間でこそ強烈な生きる実感を得るのです。死のリスクが高い環境に身を晒すことは、生の保存本能に矛盾する行為です。しかし、リスクの波打ち際に身を置くからこそ、人生を燃やすような快が全身に走り、その快を求めてさらなるチャレンジを続けるのでしょう。

こんな例を出したら、享楽というのは登山家のようなちょっと変わった人たちの特別な性向と思われるかもしれませんが、必ずしもそうではありません。私たちも、次元こそ違えど多かれ少なかれ同じような快を味わっていて、例えば子どもたちの部活動、そして大人たちの日々の仕事や子育てを思い出せばすぐにわかるのですが、辛い中での楽しみ、嫌いな中での好きを見つけながらやる行為のすべてに、

このような享楽の成分が含まれているのです。

　つまり、人は「好きなこと」だけでは生きていない。むしろ、好きと嫌いの間にある過剰なものでこそ自分が生かされる。シュガはそのことに自覚的で、彼の好きなものに対する距離感や、「愛憎」や「嫌だったり好きだったり」するというアンビバレンスの中での往復運動を意識する姿勢は、私たちが好きなものと長く付き合って生きていく上で大きな参考になります。

　そういえば2019年12月のV LIVEで、シュガが「楽しい夜を」という言葉を「楽な夜を」という言葉にわざわざ言い換えたことが、後日SNSを中心に話題に上りました。「楽しくする」ことって無条件に喜ばしいことと考えられがちですが、シュガはそこに異議を挟むんです。楽しいばかりが人生にとっていいこととは限らないし、別に楽しくなくてもその人らしい時間が流れていたらそれでいいじゃないか。彼はそういうふうに言っているように思えます。

　私自身、子どものころに、例えば学校行事のノリに乗れなくて、楽しめない自分を心細く思っていた時期があります。そんなときに彼のこの言葉を聞いたら、それこそ楽になっただろうなと思うのです。同じように楽になると感じた人が多いから、このさりげない言葉が話題に上ったのでしょう。

　シュガはこのように「好きなこと」「楽しいこと」を手放しに称えるようなことをしません。「好きなこと」や「楽しいこと」をパターナルに推奨することが、簡単に人間をコード化して扱いやすくしてしまうことを見抜いているからで

す。さらに、世界も人間も複雑な現象であり、簡単に片付かないという強い直観が彼の知性のまん中ではたらいているからでしょう。[注1]

　この視点から見れば、防弾会食（2022年）におけるシュガの発言に対する多くの失望の声が、大きな誤解に基づくものであったことがわかります。会食の中で彼が話した、「デビュー以来、楽しみながら作業をしたことがない」という趣旨の言葉に、多くのARMYが衝撃を受け、中にはまるで自分が長い間騙されていたかのような失望の声を上げたファンさえいたのです。

> 　僕にとって一番難しいのは歌詞を書くこと。言いたいことがなくなってしまった。ほんとうに。僕が感じて、僕が話したいことを話さなくちゃいけないのに、無理やり絞り出している。とにかく誰かを満足させること、聞いてくれることを考えないといけないから。でもそれはすごく辛い。
> 　もともと、仕事自体がそうで、僕は（デビューした）2013年以来、作業をしながら一度もすごく楽しいと思いながら作業をしたことがない。いつも苦しかった。絞り出してきた。
> 　でも、いま絞り出してるのと、7、8年前に絞り出していたこととの間には、（質的に）あまりに大きな違いがある。あのときは、話したいことがあって、でもスキル的に不足しているから絞り出すしかなかったん

> だけど、いまは（スキルはあるのに）話したいことがな
> いから、絞り出さないといけない。（いまはもう）何の
> 話をすればいいのかわからなくなった。
>
> 　　　　　　　　　　　　（BTS FESTA 2022 防弾会食）

　ここまでお読みの方はわかると思うのですが、これは彼
特有のアンビバレンツな表現です。シュガが絞り出す苦し
みの中にこそ喜びを感じてきた人だという前提がわからな
いと、この発言は誤解したまま受け取ってしまう可能性が
あります。

　この発言は別に仕事が辛かったことを嘆いているわけで
はなく、その要点は、「絞り出す」ことの意味が変質してしまっ
たということにあります。いまのような書くことがない状
況で無理やり書くようでは、いくらスキルはあっても生み
出す苦しみを享楽することができない。そのことを彼は嘆
いているのです。

＊注1　シュガはフーコー的な意味で、管理社会に対する強い警句を何度も
　　　放っている。例えば 2021 年取材の GQ では、「初心」という言葉は
　　　「大人たちが人々を管理しやすくするために作った言葉」と指摘してお
　　　り、この言葉の中に日々変化する人間を足止めしたい欲求を見る。「初
　　　心」という言葉は、使い方次第では私たちが日々自ずと生成変化して
　　　いく在り方を牽制する響きを含んでおり、彼はそれを見逃さない。また、
　　　2022 年『Proof（Collector's Edition）』インタビューでは、「ありの
　　　ままの自分とは?」との問いに、「わからない」と答えた後、「人は複雑
　　　な存在だから、ひとつをもってその人だとは言えない」という趣旨を発言
　　　しており、これは人間を単純化して見る風潮に対する牽制と取れる。

悪夢から目を覚ませ

　BTSは夢や希望についても、アンビバレンツな表現を重ねてきました。あるときは夢は大切だと訴える一方で、別のあるときは「夢なんてない」と真逆のことを歌うのです。やはりここにもBTSのダブルバインドがはっきりと表れます。

　シュガのソロプロジェクト、Agust Dの曲「So Far Away」（2016年に公開されたミックステープ『Agust D』収録）の歌詞には、夢を持てない自分、まだ何者でもなく、ひとりぼっちである自分に焦燥する思春期の葛藤がそのまま描かれています。「毎朝目を覚ますのが怖くてたまらない、最低な自分がそのまま消えてしまえばいい」という嘆きの狭間に、「自分にも夢があったら　羽ばたく夢があったら」というフレーズが何度もリプライズされるのです。

　若者が「夢」を持てない自分に焦燥するのは、本人の気質だけに起因するものではありません。学校や大人が常に子どもをコンペティションの環境の中に置こうとすることもその一因でしょうし、大人が子どもに推奨する「夢」自体が、実は大人にとってのひとつの現実にすぎず、その限界に子どもたちが薄々気づいているという側面もあるでしょう。

　大人は「もっと勉強しないと現実はそんなに甘くないよ」と子どもに言うくせに、別のある日は「あなたは将来何になりたいの？」と将来の夢を語らせようとします。つまり、現実は苦しいものだと言っておきながら、それでも子ども

にキラキラした希望を語ってほしいと願っているのです。

　子どもに絶望を見せておいて、それでも子どもには輝く存在でいてほしいなんて、大人はほんとうにどうかしています。でも、これは子どもにキラキラを求めるのがダメというより、「現実の厳しさ」の部分を大人がもっと日ごろの工夫で克服すべきなんです。でなければ、大人の絶望に子どもを巻き込むだけですから。デビュー以来、そんな大人たちのパターナルな巻き込みに対して、一貫してNOを突き付けてきたのが彼らの音楽です。

　学生たちは、「将来の夢をかなえるために、いま頑張っておこう」と事あるごとに大人たちから畳み掛けられます。しかしその実は、いま生きる楽しみを犠牲にしてまで、皆と同じレールに乗って進むことを強要されるだけなのです。そして、その先にあるのは、できるだけ皆と同じ「安心」な人生を歩むこと。あなた自身が好きなように生きていけばいいんだと心から言ってくれる人は誰もいない。こうして多様だったはずの可能性を奪われながら、社会の掟に自ら支配されることが勝者になるための正解だという価値観の中で、子どもたちは大人になっていくのです。

　2018年に発表された「Paradise」(『LOVE YOURSELF 轉 'Tear'』収録)はまさにBTSのアンビバレンスを凝縮したような曲です。「パラダイス」というタイトルの響きから明るい曲かなと思って聞いてみると、すっごい暗い曲なんですね。「僕には夢がない」と言い切る歌詞が印象的です。

　他にも、この曲の「仕立て上げた夢は涙の寝言」という

歌詞は、大人たちの「夢」が実際にカビが生えた現実を押しつけているに過ぎないことに対する強烈なカウンターです。彼らは「ただ生きていくこと、生き延びることだけが夢」と切実に歌うのですが、これはつまり、「いま」の現実に応答しながら、その都度に最善を尽くして生きていくことさえできればいいはずではないかという訴えです。

彼らは、夢がない僕たちのことを世間は「罵る資格などない」と言い切ります。なぜなら「夢を見る方法すら教えてくれたことがない」のですから。大人が語る夢なんて、所詮、劣化した現実にすぎないのです。だから、僕らは「彼らが望むように」生きるようではダメだと訴えます。そして、周りの雑音のせいで、なぜ自分が走っているかわからなくなるくらいなら、焦らずに一度立ち止まったほうがいい。大人たちが押しつけてくる悪夢から降りて、毎日いっしょに笑おうよ。いっしょに楽園に行こうよ。そう呼び掛ける歌です。

私は学習塾や単位制高校を運営しているので、日ごろから子どもたちの進路指導に立ち会う機会があります。誰でも将来のことを考えることには不安がつきものです。なぜなら、将来というのは誰にもわからないことだからです。もともと不安なことなのに、進路指導の際には子どもの不安をさらに煽ることで、彼らをなんとかコントロールしようとする大人の欲望が発揮されることが多々あります。「将来、音楽家になりたい」子どもがそう言えば、あれだけ夢を持てと言っていた大人たちは「そんなんじゃ将来食っ

ていけんわ」と平気な顔で子どもに言い放ち、子どもの夢を潰そうとします。でも、実際のところは、生き延びようとする力さえあればなんとか食いつないでいけることのほうが、ずっとリアリティがあるじゃないですか。本音は「あんたがよくわからん音楽家とかになったら私のほうが恥ずかしいわ」、「そんなんじゃ結婚も危うい」、「もっとまっとうな道を進んでくれ」というものであり、そういう本音を隠したまま、子どもに建前だけ立派なことを言おうとする大人たちってほんとうに勝手だし、余計なお世話なんですよ。

　子どもの進路が親にとって不本意な結果になったときに「あんたにはせっかく投資したのに」と言う親さえいますが、それも典型的な親都合の思考でしかありません。親が子どものためを思い、自分の人生を賭けて子どものために尽力したのは事実でしょう。でも、だからと言って親が思うように育たなかった子どもが親に責任を感じる必要はないのです。

　大人はこうして子どもへのさまざまな企てを通して、子どもを「まともな」大人に育てようとします。そのために、あくまで社会規範の範囲内での「夢」を子どもに持たせようとします。しかし、そういった世間の夢に乗れない子どもたちは自信をなくし、焦燥感を募らせます。そして、そこに管理社会の檻があることに気づいた一部の若者たちは、そこからの逃走を目論みます。

　シュガは大人から与えられた悪夢の中で消耗する自分を描きながら、同時に、その葛藤の観察を通して悪夢から立

ち直る自分を描き、聞く人たちを奮い立たせます。

「INTRO：화양연화 花様年華」（2016年のアルバム『花様年華 Young Forever』収録）でシュガは「オレはオレの人生で何をするつもりだ？」と自らに問いかけます。他人が擦りつける評価と成功の基準にことごとく適合しない自分に対して強い不安を抱き、そのせいで精神を病んでいることをほのめかしながら、それでももう一度自分の生きる道を取り戻そうとするこの曲では、世間的な評価に適合しなくても、別のしかたで自分の力で立つ決意が語られています。

　曲の最後にシュガは自分に問いかけます。「いまお前は幸せか？」と。それに対して彼は力強く応答します。「その答えはすでに決まった。オレは幸せだ」と。これは、先の見えない未来に対する勝利宣言に他なりません。自分の心臓の鼓動に合わせて毎日を生き延びていけばいい。そして、結果よりも行為を大切にできたらいい。世間の不安に巻き込まれさえしなければ、自分の生き方で生きていける。信念よりも、いまを柔軟に生きること［注1］がすなわちオレにとっての幸せであり勝利なのだと彼は歌っているのです。

＊注1　2022年の『Proof（Collector's Edition）』インタビューにてシュガは「信念はあるか？」という問いに対して、昔はあったが、確固たる信念はそれがままならなくなるとかえって人を苦しませる、それよりもいまを柔軟に生きる方が大切だという趣旨を述べている。

夢に多くの意味を与えてはいけない

　シュガは2021年、GQ（韓国版）のインタビューで質問者
に次のように尋ねられます。
　「BTSが"夢の前では誰もが平等で、夢がなくても大丈夫"
と言ってくれたおかげで、多くの人の心が癒されました。
でも、ときには目標と夢が人生で大きな力になることもあ
ります。夢の前で迷子のようになっているときは、どのよ
うに行動すべきでしょうか？」
　これに対して彼は、次のように答えます。

　　夢にあまりにも多くの意味を与えてはいけません。夢
　はただの夢なんです。（中略）必ずしも、そんなに努力
　して、苦労しながら生きなくてもいいということで
　す。78億人の人口が78億通りの人生を生きているのに、
　1つの道だけに進ませようとさせられているのが僕は
　とても残念です。60 代や 70 代の人も夢をもっている
　かもしれませんが、社会はとくに若い人たちに残酷だ
　と思うことがよくあります。ある道に進み、その通り
　にならなければ、まるで失敗したかのように言われる
　じゃないですか。でも、生きてみるとそうではないん
　ですよ、人生は。若い人たちには、あまり自分を責め
　ないでほしいですね。それはあなたのせいではないか
　ら。それに、他者と自分を比較しないでください。夢
　の大きさをあえて他人と比較する必要はまったくない
　んですよ。僕もものすごく大きな夢をもって生きてい

> るように見えるかもしれませんが、そうではありませ
> ん。僕もいまは夢がないんです。夢がないことが果た
> して不幸なのか？　そうでもないですよ。むしろ、い
> まは楽です。また夢はできるでしょう。バスケット
> ボールがもっと上手くなりたいのが僕の夢かもしれな
> いし、そんなことを1つ、2つずつ叶えていくだけでも、
> 十分価値のある人生だと思います。
>
> （「GQ Japan」2022年4月号）

「夢」という言葉はある価値観からの抽出物であり、その価値観は世間や親の受け売りである場合がほとんどです。なかなか自分独特の夢を持つことは難しい。なぜなら、何かを継続した先にしか自分らしきものは生まれてこないからで、夢は常に人生の強引な先取りに他ならないからです。

　このインタビューでもそうですが、シュガは、夢というよりも、その瞬間のひとつひとつに意味を見つけていくことがその人の価値になり、つまるところそれが夢がかなうことだと語っています。

　2018年以降、ライブの一番盛り上がるときにたびたび歌われることでARMYたちに広く知られる曲「So What」（2018年のアルバム『LOVE YOURSELF 轉 'Tear'』収録）は、世間の現実的価値観に呑み込まれそうになりながら、それでも自分独特の夢をつかもうとする人たちに捧げる応援歌です。

　私たちはすぐに答えのない悩みの中に埋没してしまいます。でもその「悩みの9割は、君が作り出した想像のドロ

沼」だと彼らは歌います。そんなときは、「So What?」の掛け声でそれを吹き飛ばして、とりあえず勇気を出して走ってみようよ。彼らはそう呼び掛けます。

さまざまな価値観が乱立するいま、大人たちが言う正しさなんて、多様な価値観のひとつにすぎないし、唯一の正解なんてものはありません。だから答えのない悩みの中に埋没してみても、いつまでも解決することはないのです。

「人の運命がすべてわかってしまうとしたら、どんな面白味があるのか。苦痛はオレの勲章」と歌う彼らは、人生を享楽する人たちです。正解のない世界だからこそ、肝心なのはむしろ「答えはひとつ」と信じてやってみることなんだ、どうせわかんないんだからとりあえず走ってみようよと彼らは歌うのです。[注1]

走ることで道ができ、その道がそのままその人の夢になるというメッセージは、彼らの初期の代表曲「RUN」（2015年のアルバム『花様年華 pt.2』収録）に始まり、さらに「裸足の両足がオレたちのガソリン、さあ行こう」と歌う「Run BTS」や「僕たちが進むこの道はどれもすべてが道になるから」と歌う「For Youth」（どちらも2022年のアンソロジーアルバム『Proof』収録）に引き継がれます。[注2]

So What?（＝だから何？）の掛け声は、大人たちの無自覚なパターナリズムの関節を外して無効化します。良かれと思ってさまざまな干渉を仕掛けてくれる大人たちの間を巧みにすり抜けるうちに、それは滑らかな独特のラインとなり、

それが自分だけの軌道になっていくのです。

---

*注1　SNSやYouTube、TikTok動画などを見ていると、「答えはどうせない、そんなものはわからない」ことに開き直って、どうせ正しさなんてないんだしと、さまざまなフェイクを仕掛けて世界の不確かさを露悪的に楽しむコンテンツが多数見受けられる。しかし、バンタンがここで歌っているのは、むしろ「正解のない世界だからこそ、肝心なのは、答えはひとつと思ってやってみること」であり、そのことを通してしか自分独自の人生は開けないということである。

*注2　BTSが放つメッセージは極めてニーチェ的であり、この箇所は特にその傾向が明らかである。「世界には君以外には誰も歩むことができないたったひとつの道がある。その道はどこにたどり着くのかと問うてはならない。ただひたすらに進め。」（『反時代的考察』第3部・訳は著者）

内なる子どもに呼び覚まされる

　2018年に発表されたVのソロ曲「Intro：Singularity」（アルバム『LOVE YOURSELF 轉 'Tear'』収録）はネオソウルの名曲で、2022年発売のアンソロジーアルバム『Proof』にも収録された人気曲です。この曲のMVを観た方には、テテのミステリアスな魅力にすっかりハマってしまった方も多いのではないでしょうか。

　曲タイトルの「シンギュラリティ」は「特異点」という意味ですが、具体的にはAIが人間の知能を超える時点や、AIがAI自身を創造できるようになる時点を指す言葉です。この曲における「シンギュラリティ」は、AIに象徴される非人間的なものが閾値を超えて人間存在と取り替わってしまう、そういう事態のことを指しています。つまり、シンギュ

ラリティとは「（誰かのせいで）人間存在を奪われた私」を表象する言葉です。

「あなたのために声を埋めた」という歌詞が出てきます。「あなた」を恋人だと考えることも可能ですが、私の想像では「あなた」は母親です。MVの中では女性（用のジャケットの袖に通したV）の右手が彼の口を塞ぎ、それをVが払いのける場面がありますが、これは親に声を奪われた子どもの表象でしょう。自分を捨てさせ、自分の声を埋めさせて、あげく非人間にしてしまう。そんなことを他人相手にできてしまう唯一の存在は親ではないでしょうか。

そう考えると、これは恐ろしい曲です。MVの最後でVはLOVEDと文字が書かれた大きなピアスを片耳だけにつけ、白い仮面をかぶったまま涙を流します。これは母に愛されながらも（＝LOVED）、愛という檻の中で、虚実の中でしか生きられなくなった子どもの悲嘆を表現しているのかもしれません。[注1]

そのことを踏まえると、Vの別のソロ曲「Inner Child」（2020年のアルバム『MAP OF THE SOUL : 7』収録）の謎が解けてきます。「インナーチャイルド」（＝内なる子ども）という言葉は、心理学では、子どものころに秘匿されたトラウマが、大人になったいまも子どものままに心の奥でうずいている、そのようなどちらかというとネガティブな文脈で使われることが多い言葉です。しかしこの曲では、そのようなネガティブな表象があえて読み替えられることで、「内なる子ども」に光が差し込まれます。

　この曲は天の川を初めて目にしたときのテテのイノセントな反応に感動したRMが作詞したエピソードで知られています。RMは、君の脆くて真っ白な「内なる子ども」こそが、あなたの現在の、そして未来の可能そのものなのだと、テテの中にある「内なる子ども」に対する愛情を込めてこの詞を書いたことが想像されます。

　「Inner Child」は、子どもの頃に声を奪われ、そのまま生き延びた大人たちが、もう一度内なる子どもの声を聞きながら子どもと出会い直し、そのことを通して「僕たちは変わるんだ」と自身の人生を取り戻す曲です。[注2] 辛いときがあれば幸せなときもあるから大丈夫、ではなく、その辛い瞬間も私にとって美しい時間の一部であり、その欠片のひとつだったのだと気づくことで、子どもの私からいまの私が救済される曲なのです。[注3]

---

*注1　この書籍における曲解釈を読んで、私は違うと思うと感じる方も当然いらっしゃると思います。この本における解説はそのように感じる人の感性を否定するものでは決してありません。例えばこの曲の「あなた」を恋人と取ることも、自身の分身と取ることも可能であり、どれも間違いではありません。あらゆる解釈が開かれていますし、そもそも解釈なんかしないという受容のしかたもあります。私はあくまでひとつの解釈の可能性のひとつを提示しているにすぎず、その可能性が開かれていることが音楽作品を受容する上での肝だということを理解してください。

*注2　ここでもうひとつ重要な V のソロ曲「Stigma」（2016 年のアルバム『WINGS』収録）にも触れる必要がある。「Stigma」のショートフィルム（WINGS Short Film #3 STIGMA）の冒頭は『デミアン』（ヘルマン・ヘッセ）の第1章「二つの世界」からの引用（RMによる朗読）で始まるが、『デミアン』もやはり母を求めてさまよう物語であり、しかもアンビバレンツな世界の象徴としての母を描く物語でもあった。また、「Stigma」の「あなたへの申し訳なさばかりがこみ上げてきて　また泣いてしまう。

あなたを守ってあげられなくて」「私の罪を代わりに受けたか弱いあなた」のような歌詞は、母親が子どもに与えた恥辱・傷跡（＝スティグマ／Stigma）を懺悔しているようにも読める。

＊注3 「辛いときに、"辛いときがあっても、良いときもあるだろう"と考えてただ過ごすのではなく、辛いときでさえ美しい瞬間の一部だと、そのひとかけらだと思うことができれば、僕たちの『花様年華』を本当に励みにしてもらえるし、誇らしく思ってもらえるんじゃないかと思います」（2015年11月28日 花様年華コンサートツアー2日目エンディングコメント）との RM の発言がある。

BTSというペルソナ

> 僕らは楽しいから笑うのではない。笑うから楽しいのだ。
>
> We don't laugh because we're happy, we're happy because we laugh
>
> （ウィリアム・ジェームズ）

　長男のジンはファンの前でいつも明るい人です。周囲を盛り上げて周りの人が楽しくなることで自分も楽しくなる。そんな人です。

　一方で、ジンはインタビューなどで、BTSのジンとしてのペルソナと、キム・ソクジンという人間は別人格であることを隠さずに話すことが何度かありました。「Abyss」はそんなジンが2020年の自身の誕生日に複数の音源サイトで公開した曲です。

息をのんで僕の海に入っていき、僕と向き合う。あの闇の中の僕を訪ねて言いたい、君をもっと知りたいと。未だ僕は僕に留まったままで、声を出せずにその場をぐるぐる回ってばかりいる。君に近づくほど息が切れて、君はもっと遠ざかる……。（＊歌詞の要約）

　日ごろの明るいジンしか知らないファンたちは、彼がソロ曲で見せる絶望的な暗さに驚きます。歌詞の中の「君」はジン自身のことを指していると思われます。つまり彼は、いつまでも自分自身のコアに接近できずに堂々巡りを繰り返す自己の内面を切々と歌っているのです。

　この曲で描かれるジンの自己像は、BTSのジンというペルソナを脱いだときに現れるキム・ソクジンという人間の脆弱さをダイレクトに伝えます。こうして一度、キム・ソクジンの人間らしさを手触りで感じた人は、かえってBTSのジンというペルソナを愛するようになるのです。

　ペルソナをめぐる葛藤については、メンバーの中で特にRMが多くの曲の中で語っています。「この仮面の中のオレは君が知っている“あの人”じゃない」[Outro : Her（2017年のアルバム『LOVE YOURSELF 承 ‘Her’』収録）]、「今日はどっちで生きようか　キムナムジュン　それともRM？」[Airplane pt.2（2018年のアルバム『LOVE YOURSELF 轉 ‘Tear’』収録）]、「オレは自分を偽り嘘をついてきたのかもしれない」[Intro : Persona（2019年のアルバム『MAP OF THE SOUL : PERSONA』収録）]。このように、ファンとの関係性の中で生じた自己とペルソ

ナの分裂と葛藤を幾度も描いています。[注1]

　アイドルというのは文字通り「偶像」であり、ペルソナ
に役するように生きることは、ときに自分の欲望を抑えつ
けることになり、結果的に修復不可能なほどに自己を破損
してしまうことさえあります。

　しかし、このような事態は、実のところ決してアイドル
特有のものではありません。なぜなら、私たちは日常的に
ペルソナを身にまとって演技しながら生きているからです。
学校や職場に限らず、家族の前でさえ、それどころか自分
自身にさえ演技しながら生きているのが人間です。その演
技が自分の欲望を裏切ったものであると、少しずつ自分を
壊してしまうというのはアイドルに限ったことではありま
せん。また他方では、自身が矛盾した複数のパーソナリティ
を同時に抱えていることについて、混乱した気持ちを抱え
たままの人もいるでしょう。ですから、彼らのペルソナと
自己の葛藤は、そのまま私たちの主体化の問題として捉え
直すことが可能です。

　BTSというグループの面白さは、彼らの7人のバラバラ
なキャラクターが、実はひとりの人間のパーソナリティ分
裂についてのメタファーになっていることです。

　　私なりのBTSの理解で言うと、7人の若者はある
ひとつのパーソナリティの異なる側面をそれぞれ表現
している。様々な顔を持つ、一人の人物ということだ。
（『BTS、ユング、こころの地図』M・スタイン、S・ビュザー、

R・クルーズ著、大塚紳一郎訳、創元社、2022年）

　BTSの魅力として、7人バラバラな個性が別々の方向を向きながらも同じ船に乗っていることがファンからも当の本人たちからも語られています。「Yet To Come」（2022年のアンソロジーアルバム『Proof』収録）MVの最後のシーンで、同じバスに乗ったメンバーたちが、それぞれ別々の方向を向いたまま目を合わせないことは象徴的です。

　このシーンで放たれているメッセージには二重性があり、BTSというチームがひとつでありながら、メンバーひとりひとりは別々の道を歩んでいることを示しているのと同時に、もっと深いところでは、ひとつのバス、つまりひとつの身体のなかにバラバラな方向を向いた複数のパーソナリティが同時に存在していることを示唆しているのです。

　私たちのパーソナリティは、同じひとつの身体で生きているのにもかかわらず分裂し、分裂した自我が緊張関係のなかで相克しています。自我とペルソナの分裂もその現れです。

　しかし、このことはペルソナの奥に「ほんとうの自分」があることを意味しているわけではありません。たとえ「自分を偽り、嘘をつく」ことで「自分で作り出した自分」であっても、やはりそれも自分のパーソナリティのひとつの現れであるということがむしろ重要です。だからこそ、RMは「オレは自分を偽り嘘をついてきたのかもしれない」と歌いながら、その後に「でも恥じはしない これがオレの魂の地図」〔Intro : Persona（2019年のアルバム『MAP OF THE SOUL

: PERSONA』収録)〕と力強く宣言するのです。

　ペルソナの多重分裂を象徴的に表したMVとして最初に頭に浮かぶのは、前述のVのソロ曲「Singularity」MVに登場する8つの仮面です。この8つの仮面がメンバー7人とBTSというひとつのチーム、合計8つのペルソナを示しているとするのは考えすぎでしょうか。

　ペルソナの周囲に生じたBTSの主体化をめぐる問いは、彼ら自身の内面やチームの在り方に向けられるだけでなく、それを享受するファン、ARMYたちにも向けられることになります。僕たちを好きと言ってくれるあなたたちって何者なの？　こうして、アイドルが発することが禁じられていたはずの問いを、彼らはファンたちに投げかけることになります。このことが彼らの存在をさらに特別にしているところで、それについては7章で改めて触れたいと思います。

---

*注1　RMは2022年の『Proof（Collector's Edition）』インタビューにおいて、ペルソナの考え方について、キム・ナムジュンとRMが同一視される場合が多くなり、中間地点を探して2つのペルソナが重なっていったこと、RMで得た経験を人間キム・ナムジュンに投影して、キム・ナムジュンとしての考えをRMの音楽に溶け込ませたいと考えるようになったこと、そのように相互に影響を与え合うようになったことを発言している。ペルソナと自我を明確に分けることはできないから、むしろその中間点を探しながら重ねていくというRMの発言からは、ペルソナと自我という差異を見ることより、差異の間でそれを生み出す運動自体に着目する発想（ジャック・デリダの「差延」を連想する）が見られる。RMが言う相互作用が彼のこれからの制作の深化につながることは疑いようがないところである。ペルソナと自我が重なっていったことについては、同インタビューでジンも同じ趣旨の発言をしている。

J-HOPE

本名:チョン・ホソク（정호석）

呼び名:ジェイホープ、ホビ、ホソク

出身地:光州広域市

生まれた年:1994年

誕生日:2月18日

星座:水瓶座

1994年生まれであることからRMとともにクサズ（94s）と呼ばれているJ-HOPEは、RMと違って音楽活動の最初からラップをやっていたわけではありませんが、いまはメインラッパーのひとりとして欠かせない存在です。J-HOPEのジャリッとした個性ある声色はBTSの曲に特別な色を添えています。

ホソクは心配性で怖がりな人として知られています。それなのにARMYたちから「私の希望」「私の太陽」と慕われる彼は、いつも明るくチームのムードメーカーで、常にメンバー間の調整に努める配慮の人です。メンバーから「欠点がないのが欠点」とも言われるような人柄を持ち、言葉

よりも先に行動で示す人です。そんな彼がいつもファンにとって太陽のような存在であるのは、きっと心配性な彼が、人生の中でさまざまな不安にさいなまれながらも、いつでも新鮮な驚きや喜びを見出す心を忘れない天性の明るさを持った人だからでしょう。

　ホソクはメンバーの中でも実は一番熱い人なのでは？と以前から推測まじりに思っていたのですが、2022年のソロ活動によってそれが実証されてしまった感があります。BTSの第1章幕引きとソロ活動の本格化を受け、メンバーの先陣を切ってソロアルバム『Jack In The Box』を出したのが彼でした。ファンたちの多くが2019年に大ヒットしたソロ曲「Chicken Noodle Soup」のような軽快なダンスチューンを待ち望んでいることを知っていたと思いますが、アルバム先行タイトルの「MORE」を皮切りに彼が世に示した答えは骨太のロックミュージックでした。これはとにかく自分が好きなことをやるんだという意思表示であり、今後のBTSメンバーのソロ活動の方向性を示すものになりました。そしてコアなファンたちにとって、過激なロックチューンをかますホソクの姿はいつも笑顔でやさしいホビと矛盾するものでは決してなく、むしろ、これまでも彼のやさしさから生まれる眩いほどの情熱を受け取りながら、熱い彼のことが好きになっていたのだという事実

を改めて確認する作業になったのではないでしょうか。

　彼は初期のころから、パフォーマンスに対するストイックさは人一倍でした。BTSのダンスの屋台骨になってきたのは彼で、それを成し得たのは誰よりもパフォーマンスとメンバーに対する熱い情熱があったからこそでしょう。常にチーム全体のバランスを考えながら関係性の調整を図る彼は、BTSというチームを奇跡的な好バランスに導いた立役者です。

第 5 章

BTSと
資本主義

時代閉塞の現状

　4章では、夢が持てない若者をリアルに描くBTSの世界を紹介しました。世間で語られる「夢」が実は形骸化した現実の似姿でしかなく、それが子どもや若者たちに空疎さと焦燥感を与えるだけのものになっている。そのような現状に対するカウンターとして、BTSの音楽があることに触れました。このような若者の焦燥は、いつの時代にもあるものですが、一方でBTSが描く「夢が持てない若者」が増えた状況は、「ヘル朝鮮」[注1]という流行語に象徴されるような昨今の韓国の厳しい時代背景があることも見逃せません。

　韓国には「n放世代」という言葉があります。2010年代の前半に登場したこの言葉をBTSは「3放世代？ 5放世代？ オレはジャーキー（ユクポ）が好きだから6放世代（ユクポセデ）」と初期の曲の中でも特に人気のある「DOPE」（2015年のアルバム『花様年華pt.1』収録）の中で登場させています。

n放世代（n放棄世代） 2010年代前半に登場	
3放世代	恋愛・結婚・出産の3つを諦めた世代
5放世代	3放に加え、マイホーム・就職を諦めた世代
6放世代	恋愛・結婚・出産・マイホーム・就職・人間関係を諦めた世代
7放世代	6放に加えて夢を諦めた世代
→n放世代	すべてを諦めた世代

　背景は日本同様に国内経済が伸び悩んだことにあります。韓国は1997年にアジア通貨危機の影響でIMF（国際通貨基金）の援助を受けるほどの不況に陥りました。その後、経済は持ち直しますが、2008年には世界金融危機により、再び大きな打撃を受けます。日本、台湾、中国のドルに対するそれぞれの為替レートの変動幅は年間で10%以内の上下で落ち着いたのにもかかわらず、韓国だけはドルが60%以上上昇するというウォン安になったのです。これは韓国の経済及び金融の脆弱性があらわになった出来事でした。そのことが韓国内での自国経済への不信につながります。[注2]

　2010年代初めに登場したBTSの音楽は、この時期の閉塞感を如実に反映しています。当時、上世代の大人たちの間では、経済の不振と関連付けて若者たちの無気力を責めるような論調が広がっていました。「DOPE」の中の「オレたちを株のように売り渡す。なぜ試みる前に殺す」の歌詞は、時代的に恵まれた上世代が、下の世代を見下してその能力を決めつけてしまうやり方に対する強烈な異議です。

「Spine Breaker」（2014年のアルバム『SKOOL LUV AFFAIR』収録）は初期のBTSを代表するカウンターソングの一曲として知られています。「21世紀の階級は持つ者と持たざる者に分断される」と歌うこの曲には、お金と権力に対する批判がちりばめられています。

　ちなみに、タイトルのSpine Breakerは「親の背筋を破壊するやつ」くらいの意味です。この曲ができた当時、BTSメンバーの多くはまだ学生でした。背景になっているのは、

2010年代前半に高価な（50万から100万ウォンぐらい）のノースフェイスの*ダウン*が流行ったことです。[注3] 親に身を削らせてまで流行りの*ダウン*を買おうとする若者たちを批判したのです。若者たちは、実質的には物ではなく、物に付随する効果、つまり情報を買っている。そういう空疎な商品の物神化に対して、「ダウンにガチョウの毛を詰める前に、お前の頭の中身を満たせ」と挑発的に訴える曲です。

　この曲もそうですが、BTS は階級や権力への*カウンター*を歌うとき、さかんに「スプーン」という言葉を使います。これは韓国内で流布する「スプーン階級論」がベースになっています。

スプーン階級論

ダイヤモンド	財閥一族など億万長者レベル
金のスプーン	親の資産 2 億円以上、もしくは年収 2000 万円以上の超富裕層
銀のスプーン	資産 1 億円以上、もしくは年収 800 万円以上の富裕層
銅のスプーン	資産 5000 万円以上、もしくは年収 550 万円以上の中流階級
泥のスプーン	資産 500 万円未満、もしくは年収 200 万円未満。社会の多くがこの層

　2015年に、名門ソウル大の学生のひとりが投身自殺をしました。その学生がインターネット上に公開した「（先に生まれた者、持てる者、力ある者の論理に屈服しなければならないと

いう）世界の合理は私の合理とはあまりにかけ離れていた」「私の生存を決めるのはスプーンの色だった」という内容を含む遺書に対し、韓国内では大きな衝撃と反響がひろがりました。[注4]

ソウル大学に行けるような優秀な人間でさえ、スプーンの色（つまり階級）が低ければ絶望して死んでしまう、これほど努力した人間でも救われないなら、この社会のどこに救いがあるのか。そのような、時代を悲観する反応が国内を駆け巡ったのです。

スプーンをめぐるBTSの曲はどれも「先に生まれた者、持てる者、力ある者」が既得権益を握る社会に対するカウンターに溢れています。人気曲「MIC Drop」（2018年のアルバム『LOVE YOURSELF 承‘Her’』収録）には「オレの階級は汚れてるってさ。勝手に言ってろ、マイクを握って金のスプーンたちをひねりつぶす」という歌詞がありますし、彼らの曲の中でも特にメッセージ性が強い「뱁새」（2015年のアルバム『花様年華 pt.2』収録）の英題はその名も「Silver Spoon」で、銀のスプーン（英語の慣用句で "be born with a silver spoon in one's mouth"）と呼ばれるような既得権を握った大人たちを正面から批判する歌詞が連なります。

「あいつらはオレをベプセと呼ぶ。ファンセのおかげでオレの股はもう裂けそう」というこの曲の歌詞は、一聴しただけではちょっと意味がわからないのですが、ここに登場する「ベプセ」は、初期のBTSのアイデンティティを象徴する言葉です。

韓国のことわざで、「ベプセがファンセに追いつこうとす

れば股が裂ける」という言葉があります。ベプセは、日本
ではダルマエナガ（達磨柄長）と呼ばれるとても脚が短い小
さくて丸っこい鳥のことです。その小さい鳥がファンセ（＝
コウノトリ）のような脚の長い立派な鳥に追いつこうとして
股が裂ける、つまり身の丈にあわないようなことをするから
失敗する（だからはじめからやめておけ）というニュアンスで
使われる言葉です。

ダルマエナガ（左／写真提供：新華社＝共同）とコウノトリ（右／写真提供：DPA＝共同）

　この曲の中で、ファンセは財のある階級の高い上世代の
比喩であり、そしてベプセは自分たち若い世代の比喩です。
「努力、努力の決まり文句。ちょっとやめて、オレのせいだっ
て？　あんた冗談だろ公平なんて」という歌詞は、ファン
セたちが若者の貧困を「努力」の問題に矮小化し、そのく
せ自分たちは富を享受することに余念がないことを痛烈に
批判しています。
　このほかにも、人気曲「FIRE（Burning Up）」（2016年のア
ルバム『花様年華 Young Forever』収録）の歌詞には「ただ生きて

るだけでいいんだ。そう言うお前はどのスプーン（分際／階級）でスプーンやら何やら言ってるんだ」というフレーズがあります。大人は貧しい若者たちを宥めるように「生きてるだけでいい、まだ若いから大丈夫」と言いますが、でも、こんなのまやかしですよね。そんなことをわかったような顔で言われても、なんの生活の足しにもなりません。ここでは、自分はぬるま湯から一歩も出ることなく、若者にいい顔をしようとする大人たちを腐しているのです。

　しかし、このように自らが泥のスプーンであり、ペプセであることをアイデンティティとして語っていたBTSは、どんどん売れて有名になり、世界的成功をおさめることで、自らのことを簡単に「ペプセ」とは呼べなくなっていきます。ですから、中期以降の彼らの社会構造や階級社会に対する態度には、ますますアンビバレンツなニュアンスが多分に含まれるようになっていくのです。

---

*注1　韓国の若者たち（1970年代後半から1990年代前半世代）が、韓国社会の生き辛さを表現したスラング。国内経済に対する不安や経済的不平等、若者の失業率の増加、受験戦争の激化や自殺率の高さなどが背景にある。

*注2　JBpress「白旗を揚げてIMF救済を受けた25年前に似通う韓国の自己陶酔」2022年1月22日

*注3　豆知識。ウォンはかなり大雑把に言えば、一の位の0をひと桁取ればだいたい日本円の値になります。覚えておくと便利!

*注4　朝鮮日報　"생존 결정하는 건 '수저 색깔'"…서울대생, 인터넷에 공개 유서 남기고 투신 자살　2015년 12월 18일

「浪費」と「消費」の倫理学

　BTSには「Not Today」や「MIC Drop」、さらに「ON」や「Dionysus」といった圧倒的にパワフルでシンクロ率の高いパフォーマンスのすごさってもちろんあるんですけど、それだけなら他にもすごいグループがたくさんいて、BTSの魅力の中で見逃すことができないのは、「Go Go」や「Anpanman」といったユルめの曲の中で見せる力の抜けたパフォーマンスです。それをコミカルに、かつカッコよくキメられるところがすごい。私はこの点が他のK-POPグループと比較しても特にBTSが得意とするところで、彼らの真の実力の表れだと思うんです。［このあたり、セブチ（SEVENTEEN）やNCTなんかも得意とするところですがBTSとの比較なんかを話し出すと話が終わらなくなる。］

　「Go Go」（2017年のアルバム『LOVE YOURSELF 承 'Her'』収録）の歌詞は、簡単に言えば、ビビらずに浪費せよ、贅沢せよという内容です。「YOLO YOLO YOLO YO YOLO YOLO YO、タンジンジェム、タンジンジェム、タンジンジェ～ム」とコミカルに歌われる歌詞は、一聴して何かのおまじないみたいで、一体何を言ってるんだろうと不思議な感じがするのですが。

　ここで出てくる「YOLO」は、"You Only Live Once." の頭文字を取ったもので、つまり人生は一度きりということです。韓国の若者にはYOLO族と、ノーマネー族がいて、人生は一回きりだからと刹那的に使い倒すのがYOLO族、お金なんていらないし使わないというのがノーマネー族、

そういうふうに両極に振れていると言われています。[注1]

　そして、タンジンジェムというのは、「財産などを使い果たす」という意味の탕진と、「楽しみ」という意味の재미を縮めた잼の2つを合わせた造語です。蕩尽する楽しみ。「Spine Breaker」の頃は、ダウンを欲しがる親のすねかじりたちと同世代だったメンバーも、いまや大人になって自分で稼いでいます。稼いだお金は将来のためにできるだけ貯蓄することが賢い選択かもしれませんが、彼らはあえて歌うのです。「人生は一度きり、だから、悩むくらいなら使い果たしたほうがいい。楽しみを味わえGo！Go！」と。

　哲学者の國分功一郎による著書『暇と退屈の倫理学』(2011)では「浪費」と「消費」という2つの概念が対比的に使われています。

　まず、「浪費」というのは、人間が豊かに生きていくためには常に過剰なものが必要であるという精神分析的な考え方がその基礎になっています。腹八分目がいいというけど、たまには腹を十二分に満たしたい、そういうふうに過剰に満たされることが人間には必要なんだと國分さんは言います。お寿司のようなちょっといいものをたらふく食う、すっごい派手な服をときどき着てみるとか……。そういうことって人生のときめきとして大切なんだよと。

　このような「浪費」のいいところは、浪費してしまえばいったん満足するところです。いっぱいおいしいものを食べたら、それで満腹になるんです。満ち足りた気持ちになって、いっときでも幸せになるのです。

　それに対して「消費」は、例えば今これが流行っている
から買うとか、この店に行くのがトレンドだからそこに行っ
てみる、インスタ映えするからここで写真を撮って投稿し
ていいねをもらう……などの行動を指しています。こうい
うのってイメージ先行というか、情報、観念ばかりを受け取っ
ているわけです。だから、浪費と違って「消費」は、いつ
までもお腹いっぱいにならない、國分さんはそう言います。
だってこのお店の流行が終わってしまったら、次は別のあ
のお店で買い物しなくちゃいけない。あの子がインスタ映
えする投稿をしたら、私は負けずにもっと映える投稿をし
ないと。そんな感じになって、いつまでも際限がなく終わ
らない。終わらないからいつまでも真の勝者になることは
ないのです。

　買ったり現地に行ったりしているわけだから満足できる
はずなのに、浪費したときみたいに満足できない。体を使っ
た体験のはずなのに、観念が先走りして体験になりきって
いない。だから、いつまでも物足りなくて、もっともっと
とさらなる消費を強いられる、結果、消費が止まらなくなる。
そういうサイクルに入ってしまうとなかなか後戻りできま
せん。［注2］

　このことを踏まえれば、「Go Go」で描かれている YOLO
精神は「浪費」のほうなんです。ぜいたくを通して過剰に
享楽して満足しちゃえと言っているわけです。それに対して、
「Spine Breaker」で流行りのダウンを欲しがっていた若者た
ちは「消費」の方。彼らはダウンという「流行りもの」を買っ

たところで、決して満たされることはないでしょう。

　こうしてみると、BTSの歌詞には「浪費」と「消費」のどちらもちゃんと出てくるのです。消費のバカらしさ、歯止めの利かない恐ろしさを嘆きながら、一方で浪費しちゃえGo！Go！と享楽的に言い放ってしまうところが、BTSというチームの底知れない奥深さであり、面白さです。

---

*注1　スポーツソウル　BTSも歌う"YOLO"と"No Money"に両極化する韓国若者の現状　2018年10月20日

*注2　以上は『暇と退屈の倫理学』(國分功一郎)第4章「暇と退屈の疎外論―贅沢とは何か?」より「浪費」と「消費」の概念を言葉を加えながら説明したもの。正確なところは原書を参照してください。

PROFILE COLUMN

JIMIN

本名：パク・ジミン（박지민）

呼び名：ジミン

出身地：釜山広域市

生まれた年：1995年

誕生日：10月13日

星座：天秤座

　　マンネライン3人のうちのひとりであり、テテ（V）と
ともにクオズ（95s）と呼ばれるジミンは歌もダンスも稀
有な才能の持ち主です。私自身、BTSの動画を見始めた
ときに最初に目に留まったのはジミンのしなやかなダンス
（というより舞踊）でした。

　　彼は素晴らしい芸術的表現力の持ち主にもかかわらず、
性格は案外控えめなところがあり、積極的に自分を押し出
す感じがありません。この点はチング（親友）であるテテ
と好対照で、例えばSNSの投稿の少なさひとつを取って
も、メンバーの中で一番シャイな人だし、そもそも自分ひ
とりを売り出そうという気持ちが他のメンバーほどはない
のではないかという印象さえあります。

ジミンは今後、ソロアーティストとして間違いなく計り知れない可能性を秘めている一方で、彼自身は自分よりも自分とまわりの人との「関係性」のほうを特に大切にしているように思えるのです。メンバーのなかでいつも明るくふるまう彼がバンタンというチームのなかで大切にしてきたのは、互いにケアすることなど意識しないままに、自然な成り行きで生まれた他人との切っても切れない関係であり、そのような関係が途絶えてしまえばいまの自分というものがなくなってしまうことを一番真剣に考えている人だと感じられるのです。

　彼はメンバー、さらにARMYとの関係性を深くとらえながら、いつもそれを自分の言葉にしようと努力してきました。2022年の防弾会食でも、ARMYに直接呼びかける形で、自分自身の言葉を届けようと目に見える努力をしていたのがジミンでした。ソロ活動をARMYに応援してもらうことに対する複雑な心境を正直に吐露しながら、理解してもらうのは難しいかもしれないけれど、理解してほしいという思いを深くにじませていました。

　ジミンが作詞に参加した曲の中に、「Friends」（2020年のアルバム『MAP OF THE SOUL：7』収録）というVとのユニッ

トソングがあります。友だちと一緒にやることで、お互いの欠如が満たされ、光が放たれる。僕は関係性の中でこそ生かされる。その力を一番信じているメンバーがジミンなのではないでしょうか。

　私はテテがちょっと意味不明なこと言ってるときに、ジミンだけがめちゃ楽しそうにウケてるの見ると嬉しくなるんです。これわかる人、きっと多いですよね。クオズの仲良しぶりに胸を焦がすファンは多いです。

第 **6** 章

BTSの
現在地

海と砂漠

　デビュー当時は、オレは泥のスプーンだ、ベプセだと言っていた彼ら。そういうアイデンティティを持っていた彼らは、世界的大スターになって「変わった」のでしょうか。もし変わったのだとしたら、どのような変化を遂げたのでしょうか。

　2018年にビルボードミュージックアワードで2回目のトップソーシャルアーティスト賞を受賞した際に、彼らはインタビュアーから次のように質問されます。

> あなたたち BTS は 2 年連続でビルボードで賞をとりました。あなたたちはもう「泥のスプーン」ではありません。今後はハングリーな人の気持ちを自分たちの物語として表現することはできないのではないですか？
>
> （ビルボードミュージックアワード 2018 年）

　これは当時の彼らにとって核心をつく質問です。それに対して RM は「僕らは僕ら自身をベプセと呼ぶことについて今はとても慎重になっています」と、そしてシュガは「でも、実際にそれらは僕らの始まりであり根本なんです」と答えています。

　彼らはこの複雑な気持ちを前年のビルボードミュージックアワードで初のトップソーシャルアーティスト賞をとった後、すでに曲にしていました。

2017年のアルバム『LOVE YOURSELF 承 'Her'』の隠し
トラック「Sea」には印象的なフレーズが並びます。RMも
発言していますが、各アルバムの隠しトラックは「わかる
人にだけわかればいい」という前提で作られていて、彼ら
の隠された本音が見出されるという意味で特別な位置付け
の曲です。

この曲には「海を手に入れたいと思って僕は君を全部飲
み干した。でも前よりもっと喉が渇く。たどり着いたこの
場所はほんとうに海なのか、それとも青い砂漠なのか」と
いう歌詞があり、そこに描かれているのは、彼らが世界的
人気を手に入れたときに芽生えた葛藤です。

BTSは世界中のARMYの並外れた広報運動によって世界
のスターダムに立ちました。もちろん本人たちの魅力があ
るからこそ、ファンダムが大きくなったことは言うまでも
ないのですが、そうやってファンの強力な後押しによって
世界のスターダムに立ったことを心から喜びながらも、一
方でその大きすぎる状況の変化に戸惑いを隠せない彼らの
姿がそこにはあります。

「数々の幸せの中で感じるこの恐怖たちは何だろうか」と
揺れ動く心情を、彼らは海と砂漠というメタファーを用い
て吐露します。「ここは砂漠だということが僕たちは痛いほ
どわかってる。それなら走らなきゃ、悩まなきゃ。希望が
あるところには必ず試練がある」と歌う彼らは、自分たち
がいる場所が現実の砂漠であることを確認しながら、それ
でも走り続けることを誓うのです。

ちなみにこの歌詞の最後の箇所は村上春樹の小説『1Q84』

（2010）からの引用です。この曲を書いたRMは常に本を手許に置いておくような読書家ですから、彼が多くの小説や詩などからインスピレーションを受けながら創作を行っていることがBTS作品の世界観の深化につながっていることは疑う余地がありません。

> **希望のあるところには必ず試練がある。あんたの言うとおりだよ。そいつは確かだ。ただし希望は数が少なく、おおかた抽象的だが、試練はいやというほどあって、おおかた具象的だ。**
>
> （村上春樹『1Q84』BOOK3、新潮社、2010年）

ジョングクのソロ曲「Euphoria」（2018年のアルバム『LOVE YOURSELF 結 'Answer'』収録）はBTS名義の数あるソロ曲の中でも特に親しまれている曲ですが、歌詞には哲学用語の「アプリオリ」など難解な言葉が重ねて用いられており、容易に解釈を寄せ付けないところがあります。

ユーフォリアはもともと心理学、医学では「多幸症、根拠のない過度の陶酔的幸福感」という意味の言葉で、経済学ではJ・K・ガルブレイスが、「脳がおかしくなるほど極度のユーフォリア（陶酔的幸福感）は……楽観の上に楽観が積み重なることで投資が持続し、一見うまくいっているように見えるが、しまいには破局に至る」[注1]という文脈で用いたことで知られています。

ジョングクは歌います。君が僕に幸せをもたらしてくれるのは間違いない。君は僕を砂漠から海に連れていってく

れるだろう。そして僕は「息が詰まるほどの幸せを感じている」。でも、この海はほんとうだろうか。それは「砂漠の中の青い蜃気楼」なのではないか。このあまりに陶酔的な幸福感は、もしかしたら僕を破滅させるかもしれないと。

海と砂漠のメタファーについては、「私たちが一緒なら砂漠も海になる（우리 함께라면 사막도 바다가 돼）」という言葉を世界中のARMYたちが共有するなどBTSとARMYの絆を象徴する言葉として知られています。このメタファーを通して、BTSとARMYは絶望の中にも希望を見出すストーリーをデビュー当時から共に描いてきたのです。

しかし、「君」≒ARMYの海への誘いはときに破局をもたらすかもしれない。セイレーンに誘惑されたオデュッセウスが自らの体をマストに縛り付けたように、彼らもときに自らを縛り付けておかないと無事では済まないような葛藤に苛まれているのかもしれません。

BTSが現在まで多用する海と砂漠のメタファーは、デビュー当時からすでに彼らの歌詞の中に登場しています。

2013年のデビューアルバム『2 COOL 4 SKOOL』の隠しトラックである「Skit：On The Start Line」には、デビュー前の心境が「青い海があるように見えても、後ろを振り返れば砂漠が待っているような気持ち」と歌われています。さらに歌詞の中には、「でも少しも恐くはない。きっと今の僕を作ったのは、今までに僕が見た海と砂漠だから」とあり、この時点ですでに海と砂漠で象徴される世界の両義性が語られているのです。つまり、この世界は海だけでは

語り尽くすことはできず、海と砂漠の間を揺れ動き続けることにこそ人生のリアリティがある。そのことを彼らは驚くべきことにデビューの時点で語っているのです。

　ニーチェは『悲劇の誕生』において、秩序があり安定した「アポロン的なもの」と、その秩序の外部にある混沌とした「ディオニソス的なもの」を対置して世界について語りました。そこでは、ディオニソス的なものがアポロン的なものと拮抗することで、つまり拮抗によって過剰なエネルギーに何らかの抑制がかかることを通して、芸術的な作用が生まれることが示されました。[注2]

　BTSの「Dionysus」はまさにそのような混沌としたエネルギーを肯定する曲ですが、彼らは「砂漠」が表象するディオニソス的なエネルギーを「海」が表象するアポロン的なものと拮抗させることによって音楽を生み出すということを、デビュー当時から明確なコンセプトとしてやってきたわけです。

　このことは「オレを投げろ この2つの世界へ」「痛みを持ってこい」と歌う2020年の「ON」、さらに、MVの中でメンバーたちが砂漠にいながら波の音を聞く2022年の「Yet To Come」に至るまで、ダブルバインドな世界観として彼らの作品の中で脈々と引き継がれ、現在に至っています。

　このような2つの引き裂かれた世界を同時に提示する手法は非常に文学的であり、かつてRMが「僕らの存在そのものが作品になれば」「最終的にBTSというグループとその歴史がひとつの作品になれば」[注3]と語ったのは、彼ら

が自らの文学としての作品性に自覚的であることの現れで
す。

「Yet To Come」のMVで波の音を聞く彼らは、これからも
波打ち際の砂の上に立ち続けるような存在としてチームの
歴史を重ねていくことを誓っているのです。

*注1　A Short History of Financial Euphoria: Financial Genius is
　　　Before the Fall　John Kenneth Galbraith 1990（邦題『バブル
　　　の物語』ダイヤモンド社）より。「ユーフォリア」といえば、ゼンデイヤ主
　　　演の同タイトルのドラマシリーズを思い出す人も多いだろう。このドラマ
　　　はドラッグや性暴力、ジェンダーやセクシュアリティの問題などを正面か
　　　ら取り上げ、若者の刹那的な生き方や葛藤を描いてアメリカの Z 世代
　　　を中心に大きな反響を巻き起こした。このドラマの中にも多幸感、陶
　　　酔的幸福感といったテーマが織り込まれている。

*注2　RM は美には危うい何かがあるから美になるのだ、という発言を繰り返
　　　しており（例えば 2015 年の花様年華ツアーにおけるステージコメントなど）、
　　　RM のこれらの発言にははっきりとニーチェの影響が見られる。2022 年
　　　8 月には、インスタグラムのストーリーズにニーチェの言葉がプリントさ
　　　れた T シャツを着た姿を投稿したことで話題となった。そのときの言葉
　　　は「ONE MUST STILL HAVE CHAOS IN ONESELF TO BE ABLE
　　　TO GIVE BIRTH TO A DANCING STAR.（カオスを秘めた人こそ躍動す
　　　る星を生み出すことができる）」であった。これはまさにディオニソス的世
　　　界観の肯定である。

*注3　NHKの音楽番組「SONGS」(2020年)より。

グローバルアイドルBTS

2017年以降、毎年欠かさずアメリカのビルボードミュー
ジックアワードで受賞を続け、さらにコロナ禍における

2020年の英語詞曲「Dynamite」の世界的ヒットによって、BTSは誰もが認めるグローバルアイドルの頂点に上り詰めました。

そんな彼らの動向を見守りながら、外注の英語詞曲を出すなんて彼らはもう変わってしまったと嘆く古参ファンもいるわけですが、グローバルアイドルになった後の彼らがいったい何を発信しているのかを見ていきましょう。

BTSのグローバルアイドルとしての象徴的な活動としては、音楽活動を超えた社会的メッセンジャーとしての役割を担うものがありますが、特に国連での数回の演説や米国ホワイトハウスでのバイデン大統領との会談(2022年)などは世界中で報道され、彼らの世界的認知度をさらに高める結果となりました。

中でも特に鮮烈な印象を与えたのは、2018年に初めて国連で演説をした際のRMの言葉です。この演説は、韓国ユニセフ協会と所属事務所Big Hit、そしてBTSがパートナーシップ協定を結んで2017年11月から進められた「LOVE MYSELF(私自身をまず愛そう)」キャンペーンの一環として行われました。

> さて、まずは僕自身の話から始めたいと思います。
> 僕は韓国・ソウル近郊のイルサンで生まれました。湖や丘のあるほんとうに美しい町で、毎年フラワーフェスティバルも開催されています。僕はそこで幸せな幼少期を過ごし、ごく平凡な男の子でした。夜空を見上

げて想いを巡らせたり、男の子らしい夢を見たりして
いました。僕は世界を救えるスーパーヒーローだ、な
んて想像もしていました。

僕たちの初期のCDアルバムのイントロに、「9歳か10
歳のとき僕の心臓は止まった」という歌詞があります。
振り返れば、他人が僕のことをどう思っているか、ど
う見えるかを、心配し始めたのがその頃だったと思い
ます。

夜空や星を見上げて空想することをやめ、他人がつく
りあげた型に自分を押し込もうとしていました。

自分の声を閉ざし、他人の声ばかり聞くようになりま
した。誰も、僕自身でさえ、自分の名前を呼びません
でした。心臓は止まり、目は閉ざされました。

このように、僕は、僕たちみんなは、名前を失い、幽
霊のようになりました。

でも、僕には音楽がありました。自分の中で小さな声
がしました。

「目を覚ませ！自分自身の声を聞くんだ」。それでも音
楽が僕の本当の名前を呼んでくれるまで長い時間がか
かりました。

（中略）

BTSは大きなスタジアムで公演し、数百万枚ものアル
バムを売り上げるアーティストになりました。でも僕
は今でも平凡な24歳の青年です。僕が何かを成し遂
げたのだとしたら、それはBTSのメンバーが側にいて
くれて、世界中のARMYが愛とサポートで支えてくれ

たからです。

昨日、僕はミスをしたかもしれません。でも、過去の僕も僕には変わりありません。今の僕は、過去のすべての失敗やミスと共にあります。明日の僕が少しだけ賢くなったとしても、それも僕自身なのです。失敗やミスは僕自身であり、人生という星座を形作る最も輝く星たちなのです。

僕は、今の自分も、過去の自分も、将来なりたい自分も、すべて愛せるようになりました。

（中略）

僕たちは、自分自身を愛することを学びました。だから今度は「自分自身のことを話そう」。

あなたの名前は何ですか？ 何にワクワクして、何に心が高鳴るのか。あなたのストーリーを聞かせてください。

あなたの声を聞きたい。あなたの信念を聞きたい。

あなたが誰なのか、どこから来たのか、肌の色やジェンダーは関係ありません。

ただ、あなたのことを話してください。話すことで、自分の名前と声を見つけてください。

僕はキム・ナムジュン。BTSのRMです。

アイドルです。韓国の小さな町で生まれたアーティストです。

他の人と同じように、人生でたくさんのミスをしてきました。

たくさんの失敗も恐れもあるけれど、自分を力いっぱ

> い抱きしめることで、少しずつ自分自身を愛せるよう
> になりました。
> **あなたの名前は何ですか？自分自身のことを話してく**
> **ださい。**
> 　（「BTS、心に響く前回の国連スピーチ（2018年）を振り返る」
> 　　　　　　　　　　　　　　ハフポスト日本版編集部）

　このRMの演説を見聞きして、BTSに興味を持った人、沼落ちした人ってたくさんいると思います。私もこの演説を最初にYouTubeで見たとき、人の心をつかむ喋り方とその内容に唸りました。RMはほんとうにすごいなと、彼を再発見したような気持ちになりました。

　彼らは、デビュー以来ずっと自分の言葉を紡ぐことでファンと心をつないできました。これはもちろん彼ら自身が選んだスタイルですが、彼ら独自のスタンスというよりは、彼らの原点にあるヒップホップがオーセンティシティをコアに置く音楽であることと強く関わりがあります。

　RMのスピーチで驚かされたのは、彼が演説の中で自分のごく個人的なリアルな経験を語るスタイルを保持しつつ、それが世界に存在するバラバラの個人への投射を通して、もっと大きな社会、つまり公共性につながっていくラインを見せたことです。これはRMにとっては、ただ単に国連の意図に適うメッセージを伝えること以上の意味があったはずです。それは、彼の中にある「ヒップホップ的なもの」の可能性を広げる試みでもあったはずです。

　しかし、これをどう評価するかは少し難しい問題です。

なぜなら、オーセンティシティに最初の動機があったとしても、そのメッセージが公共性を帯びて大義という正しさをまとったときには、個別のリアルは雲散霧消してしまうからです。運動が大きなうねりになり、彼らが世の中の「正しい声」を代弁する存在になったときに、「あぁ、もう彼らの物語は私の物語ではない」 そう感じてしまう人もいるでしょう。彼らの言うことに共感しながらも、私の物語にしては大きすぎると感じる人がいてもしかたがないと思うのです。でも、その一方で彼らが影響力をよりよく行使することで、広くたくさんの人たちにその声が届き、新しい希望になるという面もあるわけです。彼らはそのような二律背反を理解した上で、とりあえずやれることはやってみようという「Go Go」精神で、そのときできることに最大限尽力したのだと思います。

　RM は活動における公共性について、具体的な発言も残しています。

> BTS は我々が属している社会問題や不条理に対して沈黙せずに、それを取り壊し、問題提起をするための歌詞を書いている。社会的なイシューを共に考え、本を読み、専門家と議論しながら共に取り組んでいる。
>
> （韓国ヘラルド経済 2018年6月15日）

　RM はこのときにはっきりと「問題提起をするための歌詞を書いている」と言っており、社会の不条理に対して「NO」と言い、社会問題に対して積極的に発言する姿勢を鮮明に

しています。RMは先の国連演説で、ごく個人的な経験や感情が公共の語りにつながる道筋を示しましたが、彼らはきっと、声にならないような個の語りが、本質の部分で理不尽な社会に対するカウンターになり得ることを信じているのだと思います。

　この記事の中でもうひとつ注目すべき内容は、彼らの活動にはメンバー以外にさまざまな専門家が加わっていることが言及されていることです。（このことを踏まえ、私がこの本で「BTS」を主語にしているときは、メンバーに加えてスタッフや専門家などを含めたBTSという「チーム」というイメージで語っています。）

　例えば花様年華シリーズのMVで見られる物語の複雑さも、メンバーとは別に専門家や作家が制作に携わっているから、あれほど重層的な物語になっているのでしょう。多くのプロフェッショナルなスタッフの尽力によって、彼らが発表するあらゆる作品の質が高められています。さらに、そうやってできた作品がARMYによって受け入れられ、それが大きなウェイブとなることでBTSという作品が完成するのです。ファンとメディアによって能動的に作り出される参加型文化はコンヴァージェンス・カルチャーと呼ばれますが、ARMYになることは、そのままBTSという大きなプロジェクトに直接参加することを意味しています。

　多くの人が誤解している部分があるみたいですがBTSはただの男の子7人ではないです。これは様々な人々を含む大きな流れです。
　多くの人が見逃しているのはARMYの存在です。異な

> る人種やジェンダー、その他の多様な方々が、ほんと
> うに意味のあるやり方で、このBTSという名のもとで
> 共存しています。
>
> （V LIVE（RM）2022年4月9日）

　一方で、2020年の曲「UGH!」（アルバム『MAP OF THE SOUL : 7』収録）では「正義」に居直ることを警戒しながら物事の錯綜した複雑性を見ることを諦めない、彼ららしい歌詞が展開されています。

　SNSが政治的インパクトの発信源になることが増えた一方で、自分に内在する傷を癒し、ルサンチマン（怨み）を晴らすために、SNSの向こうにいる顔の見えない他者を利用する人が増えました。ネット社会において、画面の向こうの相手が何を考えているのかよくわからないときに、ふと沸き起こる自分の悪意に正当性を与えるテクニック、自分をきれいにしたまま相手を責め立てるメソッドはめまぐるしく発達したし、そのいびつさが可視化されたのです。このような状況のことを彼らは「真実も嘘になり嘘も真実になり、みんなが道徳的思考と判断が完璧な人になるんだって。ウケるね」と揶揄します。

　アンチと呼ばれる（元）推しに対する中傷を繰り返すアカウントの例を挙げるまでもなく、根拠のない嘘（＝フェイク）を動員してでも人の粗探しをして、他人をマイナスに位置付けることで自分を相対的にプラスに持っていく。そんな人たちが後を絶ちません。また、フェイクではなくとも、自分たちが手に入れた正当性を武器に、脇道にそれた人た

ちを攻撃しつくすやり口がネットでは溢れています。

「怒りはもちろん必要。燃える時には理由がいる。オレたちの歴史でそれが世界を変えたりもするから。でもこれって憤怒じゃなく糞尿。憤怒のふりして相手を殺す」と痛烈な言葉を重ねる彼らはきっと、一見正しそうな顔をしたマスコミやネットの言説に晒され、傷ついてきたのでしょう。自分の「正しさ」を疑うことなく、怒りにまかせて相手の息の根を止めてしまうあり方への強烈な異議が「UGH!」の中にはあります。

　いつの時代も正しさを求める怒りの声が歴史を変えてきたという重みを彼らは踏みしめています。しかしそれでもなお、彼らはそれに対する自制を促します。SNSや動画投稿サイトなどを通して誰もが意見を発信できる時代ですが、自分の判断がいつでも正しいというのは原理的にありえないのですから、自分が抱える「正しさ」を常に疑いつつも、それを希求することをやめない。そういう生き方の苛烈さに背を向けずにひとりひとりが考え続けるしかないでしょう。

ＢＴＳの現在地

　2021年に世界で最もリツイートされたツイートはBTSのアカウント @BTS_twt による #StopAsianHate でした。この年はコロナに対する誤った認識が広まったせいもあり、アジア人に対するヘイトが世界的に問題になった年でした。そして、そのタイミングでリリースされた「Dynamite」に

続く英語詞曲が2021年の「Butter」だったわけです。

　この曲は、本人たちが言うように、特に意味のない軽快なダンスチューンとして楽しむのが正解でしょう。にもかかわらず、この曲からは多くの人たちがレイシズム、とりわけアジア人ヘイトに対する鋭いカウンターを読み取りました。「Butter」のイメージカラーがイエローだったことについて、RMはV LIVEの中でただ一言だけ「僕たちは黄色人種じゃないですか」と発言しました。また、同曲MVでも、ホワイト、ブラック、イエローの3色を基調にしながら、さらにグレーやレインボーカラーの衣装を披露していることから、人種に関わる差別問題に対するメッセージの隠喩として受け取ることは難しいことではありません。それを踏まえると、この曲の冒頭の歌詞、「Smooth like butter」（バターのように滑らかに[バターはイエローのメタファー]）、さらに途中のシュガの「Hate us ～！」（オレたちを嫌ってみろよ！）のコールはとても挑発的に響きます。

　軽快なダンスチューンとして楽しむのが王道で、でも実はレイシズムに対してのカウンターも含まれている。曲の解釈というのは決してどちらかだけが正解ということにはなりません。メタファーという置き換え可能なものによって、その人が考える「真実」がそこに現れさえすれば、それがすべてなのです。

　RMはこの辺りにとても意識的な人だから、V LIVEでもただ一言のヒントを発することに留めたのでしょう。彼は日ごろから鋭いメッセージ性のある言葉を投げかけておきながら、あるときには「実は伝えたいメッセージなんてな

いんです。こう言ったら極端かな」[注1] と不意に口走ることもあるような人です。

そんな彼は、政治的正しさの代弁者として自らが振る舞うことに対して悩み、この数年は特にその葛藤を深めていきました。

（社会から）疎外されている人たちが、僕達を情熱的に応援してくれている。それを知っておかなきゃいけないという話をされましたが、ものすごく戸惑ったんです。なぜなら、僕はただ自分がしたい話をしただけだし、（その人たちが）僕たちに愛をくれたから、その人たちに献身的に何かをしただけなのに……。マイノリティが僕たちをホワイトハウスと国連の中心にまで連れていったんですよ、ある日。

自分のアイデンティティについてすごく悩んだのは「果たして僕にその資格があるんだろうか」と。ただ（ファンたちの）エネルギーが集まったからといって、そのエネルギーをこれほど影響力のある場所で使っても良いのか。道徳的、倫理的、あるいは時代的な、そんな資格が自分にあると思えるのか。それは傲慢じゃないか。そんなことをたくさん考えました。

（2022年のテレビ番組）[注2]

かつては差別される当事者が声を上げることが差別に対抗する運動の基本形でしたが、いまではどんなアイデンティティを持っているかにかかわらず、非当事者であっても権

利や正しさを共有する同じ市民として声を上げることが、差別に対抗する運動として認知されるようになりました。

　アメリカのセレブリティたち、たとえばテイラー・スウィフトやアリアナ・グランデ、ビリー・アイリッシュなども、属性にかかわらず、差別や不公平に対してそれを是正するために声を上げ、間違いに対しては毅然と批判する姿勢が大きな支持につながっています。この点はBTSも例外ではなく、アジアンヘイトだけでなく、例えばBLM（Black Lives Matter）に関しても「偏見は許容されるべきではない」[注3]などの声明とともに100万ドルの支援金の寄付を行っており、このような彼らの積極的な行動は世界的に大きな関心を集めています。

　しかし、個別のアイデンティティから離れて市民を代表する立場として発言することは、正しいことのようで大きな問題を含みます。RMはその点を捉えて「傲慢じゃないのか」と自分に問うのです。

　そもそもマイノリティの内部は一枚岩ではありません。その中には個別の葛藤があり、到底ひとまとめにできるものではありません。しかし、戦略的には団結しなければ戦えません。特殊性から普遍性へと舵を取らなければ、誰も見向きもしてくれないのです。それでも、普遍性に移行したときには、個別の特殊性が弱ってしまう、もしくは死んでしまうのです。ここにアポリアがあります。

　BTSは世界の複雑さ、ダブルバインドを捉えながら音楽活動をしてきました。そんな彼らが社会問題と向き合う方法は、アイデンティティに根差すことにこだわりながら、

それでも必要なときには団結して声を上げる、そういった
アンビバレンツな姿勢でしかないでしょう。

BTSというグループは、この数年の間にいつの間にか市
民としての政治的正しさを代表する立場に祭り上げられよ
うとしていました。しかし、彼らはその立場に居直ること
を良しとしませんでした。特にRMは、英語話者として世
界に向けて直接言葉を発してきた立場ですから、特にこの
ことに耐えられませんでした。2022年に彼らがグループ活
動よりもソロ活動を優先させるという決断の理由のひとつ
はここにあります。

もちろん、兵役のタイミングなど複数の要因がありますが、
その中で大きな理由が、BTSというグループが背負った重
い荷物をいったん下ろすこと、特に、一定の冷却期間を置
くことで正しさを代弁する立場から身を剥がし、もう一度
フラットに表現と向き合うことでグループとしての言葉を
取り戻すことにあったことは間違いありません。

BTSはこうして世界との関係性の中で、自分たちに降り
かかるさまざまな力を調整しながら活動を続けようとして
いるという点において別格の存在なのです。

---

*注1 「BTS BREAK THE SILENCE」エピソード4より

*注2 RM が司会をするテレビ番組「알아두면 쓸데없는 신비한 인간 잡
학사전（知れば役に立たない神秘的な人間雑学事典）」(tvN 2022) より。

*注3 Variety How BTS and Its ARMY Could Change the Music
Industry By Rebecca Davis（2020）

PROFILE COLUMN

V

本名:キム・テヒョン(김태형)

呼び名:テヒョン、テテ、V(ヴィ)

出身地:大邱広域市

生まれた年:1995年

誕生日:12月30日

星座:山羊座

　テテはロマンチックな人です。でも、ストーリー的に高まっていく情熱を信じているというよりは、幾つもの暗示やサインの中に偶然で運命的なものを見出して、それを信じている人という感じがします。彼のソロ曲「Christmas Tree」には「星のささやきがクリスマスツリーのように歌っている」というフレーズがありますが、彼にとっての愛とはささやきであり、その成否は運命によって握られているのです。

　テテは言葉で語り尽くせない不思議な魅力を持っている人です。日ごろから全身表現が豊かな人なので、ファンたちは彼が発する言葉以上に、ちょっとした表情やしぐさの

中から、彼独特のメッセージを受け取ろうとします。テテがコロコロと表情を変化させるたびにファンたちは心を揺さぶられて、彼のかわいらしさに夢中になります。しかしその一方で、発する言葉以上に、彼が全身で表現する魅力に注目が集まるからこそ、その反作用で根拠のない誤解や悪意に晒されることも多いようです。

　純粋で自由な魂を持つために一定の型にはめられることのないテテは、BTSというグループを異化し、撹乱します。メンバーの中に彼のような予定調和を崩す存在がいるからこそ、グループの性格に奥行きが生まれるのです。物わかりのいいヒョン（年上メンバー）たちの間で大切にされた彼の個性は、世界的スターになったいまも毀損することなく健在です。子どもと大人の間を往還する彼の変幻自在なパフォーマンス、そして深みのある低音ボイス（しかも高音も出る音域の広さ）は、BTSの圧倒的な魅力を決定づけています。

　メンバーとの比較で言えば、RMやシュガは特に言葉を大切にしていて、インタビューなどでもできるだけ正確な表現をすることに努めていますが、テテは言葉で正確に伝えようという意識はあまりなく、もっと自分の感覚のままを伝えようとします。言葉の意味作用だけでは必ずこぼれ

落ちるものがあるので、それだけではどうしようもないことを知っているのでしょう。でも、それは言葉にこだわりがないということではなく、少し時間がかかっても、自分独特の言葉を探しながら言葉を紡ごうとするのが彼なのです。その意味でテテは天然の詩人であり、だからこそARMYの合言葉、보라해（紫するよ）は彼のもとから生まれたのです。

「推し」の
幸福論

現代の幸福論

　かつて物質的に豊かになることが幸福を意味した時代がありました。持ち家や車、新しい家電製品などを所有する物質的な豊かさが、そのまま人（家族や世間など）から認められ、自己充足感を得られることに直結していた時代です。

　その頃に比べると、現代はずっと幸福感を感じにくくなりました。なぜなら、最初からモノに満ち溢れているからです。さらに、さまざまな価値観が相対化されて、世界から歴史性の厚みが失われたせいで、自分自身がどの土壌にも根を張っていないと感じられるからです。

　その結果、私たちが少しでも幸福感を感じられるようにと新たに考え出されたのが、デフォルトをゼロではなくマイナスにするというアイデアです。例えば、不安を煽り、不安を過度に共有しようとするマスコミやSNSを思い出してみてください。それは、不安を作り出すことで疑似的にマイナスを作って、それが解消されたらプラスだと錯覚させるしくみです。（実際にはマイナスがゼロに戻ったにすぎないのに。）

　でも、こんなのおかしいですよね。ムダに消耗するだけで、何も生み出さないわけです。いまの人たちはそのヤバさに薄々気づき始めています。かつてのように、モノを買うことでモノの向こうにある幸福を手に入れようとするのも無理があるし、かといって、いつまでも自慰的にゼロサムゲームを繰り返しても埒が明かないわけです。

　だからいま、人々はもっと幸福を即席で直接的に感じら

れるものに向かっています。そのひとつ目の動きが、オタクを代表するような「ハマる」行為を通して自分では気づかなかったような「自分自身の内部とつながること」です。そして2つ目は、SNSや動画投稿、オンラインゲームなどを通して「他人や社会とつながること」です。

　この2つの動きに共通しているのは、それが極めて人間の情動的な部分に支えられている点ですが、その2つを同時に満たすのが「推し活」なのです。

「推し」を推すことを通して自分を発見すると同時に、世界とつながる実感が得られる。一人だけど独りじゃない。これは、とても現代的な感覚とも言えるし、異なる見方をすれば、かつて、風や雲がそこに在るだけで独りじゃないと感じていた人間たちの感覚を、別の形で復刻したものとも言えるかもしれません。

「推す」ことの危うさ

　ただし、推す行為には旧来のファンにはない過剰さがあって、それは「推し」を通してかりそめの主体性をなんとか手に入れようとする切実さであり、そういう過剰さに対する自覚がないとすれば、危ない面があるでしょう。

「FAKE LOVE」は2018年のアルバム『LOVE YOURSELF 轉 'Tear'』に収録された曲で、世界的に大ヒットした彼らの代表曲のひとつであるとともに、収録アルバムもアメリ

カビルボードアルバム総合チャートで初の 1 位を獲得するなど目覚ましい成績を残しました。

しかし、BTS のメンバーたちに「一番辛かった時期は？」と尋ねると、意外なことに多くのメンバーが世間的には絶好調に見えた「FAKE LOVE の頃」と答えるのです。[注1] このアルバム制作時期に、メンバーたちが過多のプレッシャーやストレスに苛まれ、解散まで検討していたことは、後にファンたちに広く知られるようになります。[注2]

この葛藤は「FAKE LOVE」の歌詞にも色濃く表れています。「君のためなら僕は哀しくても嬉しいふりをすることができた」「君のためにきれいな嘘をつくことに僕はうんざりしている。偽りの愛（FAKE LOVE）だから」と歌いながら、彼らは自分を偽りすぎて自分自身のことがすっかりわからなくなってしまったことを絶望的に歌うのです。

「FAKE LOVE」の歌詞の「君」を ARMY（ファン）と解釈することは、ファンたちから多くの反発を招く恐れがあります。しかし、彼らがペルソナとして生きていくことに苦しんでいた時期に、ファンから「使用される」ことをうまく呑み込めなくなっていたと考えれば、しかも解散さえ考えていたことを重い事実として受け止めれば、この曲がメンバーたちとファンとの関係を全面的にではないにしろ一部分でも反映させていると考えることは無理な解釈ではありません。

「推す」行為の危うさを考える上で参考になるのは、以下

のような「使用」関係と「支配」関係の違いの考察です。

> **千葉**　まず大事なのは、自分が他のものに依存していることを認めることだと思うんですよね。いまの平等化は、みんなが自己権威化している状態になっている。個々人が小さな権威になってぶつかっているわけですよ。
>
> **國分**　自己権威化とは自分が他人を通じて主体化したことの忘却であり無視である。人は必ず何かを使用することで主体化していってるはずですね。そのことが認められれば、自分が主体化するときに「使用」した他者や物に対する敬意やそれを慈しむ心も出てくる。
>
> **千葉**　レイシズムの問題もそこにあります。他者を敵対的な鏡として使うことによって主体化する人たちが、いま、主体化で困っている人たちなわけですから。
>
> **國分**　それは使用関係でなく、支配関係なんだよね。
>
> 　　　　（國分功一郎・千葉雅也『言語が消滅する前に』
>
> 　　　　幻冬舎新書、2021年より抜粋）[注3]

　私たちは誰でも多かれ少なかれ、他者を「使用」することで主体化を実現します。私たちが日常的に使っている言語さえ、もともとはすべて他人から与えられたものであることを思い返せば、他者を使用せずに主体化するなんて、どだい無理な話だということに気づかされます。

「推す」行為は「推し」を通した刹那的、情動的な主体性

獲得の運動であり、まさに推しを「使用」する運動なのですが、このことに自覚的でない人もいます。推しを推すときに、ファンたちは推しの輝かしさだけでなく、推しのずるさや不完全さを自らの主体に一致させることを通して、不甲斐ない自分を愛でているはずです。

しかし、そのことに無自覚になり、推しが使用できなくなったと感じた瞬間に、推しに対して攻撃的になることもあります。推しがまるで自分の主体化を妨げる存在のように感じられて憎み始めてしまう（そして「アンチ」に転じてしまう）のです。

敵をあえて作り出して鏡としての自己を権威化することで主体化を果たしたにもかかわらず、言い換えれば、敵という他者を使用して主体化を実現したにもかかわらず、そのことを隠蔽してしまうのがレイシズムの問題だとすれば、「使用」に無自覚なファンたちは、推しが私の主体化を支えてくれたという事実を忘却することで、易々と「支配関係」に陥り、レイシズムに近接します。

このことを踏まえて、LOVE YOURSELF ツアーで RM がファンを前にして語ったこの文章を読んでみると、彼は私たちがどのように自分自身を愛したらよいかを説くだけでなく、私たちに「使用」に対する自覚をさりげなく促していることが伝わってきます。

　　この Love Yourself というツアーを通して、僕は自分自身を愛する方法を見つけているところです。僕は自分自身の愛し方を何も知りませんでした。あなたた

ちが教えてくれたんです。あなたの目で、あなたの愛
で、あなたのツイートで、あなたの言葉で、そしてあ
なたのすべてを通して。自分を愛するということを、
あなたたちが教え、導いてくれたんです。

　そして、自分を愛することは、死ぬまでずっと僕に
とっての目標であり続けます。自分を愛することは何
なのか、あなた自身を愛するとはどういうことなのか、
僕にはわかっていません。誰が自分自身を愛する方法
や法則を定義できるでしょうか。それは僕たちそれぞ
れの任務です。ひとりひとりが自分自身の愛し方を見
つけ、明らかにしていくことが僕たちの任務なのです。

　そのつもりはなかったのですが、僕はあなたたちを、
自分自身を愛するために使っていたようです。だから
僕はひとつ言いたい。どうか、僕を使用してください。
自分を愛するために、BTS を使用してください。だっ
てあなたたちは、毎日僕に自分自身の愛し方を教えて
くれるのですから。ありがとう！

（LOVE YOURSELF Tour in New York 2018）[注4]

　RM は、自分があなたたち ARMY を「使用」することで
自己変容を遂げてきたことを伝えます。さらに、ひとりで
は立ち行かない自分が、あなたたちを使用してきたことを
知ることで、あなたたちに深い敬意と感謝の念を抱くよう
になり、さらにそのことを通して、自分を愛することを学
んできたと言うのです。

　そして彼は呼び掛けます。「ARMY、あなたたちも僕を

使用してください。僕たちを使用することで自己を変容させ、自分を愛することを学んでください」と。これは主体化するために相手を「使用」することへの自覚を促すとともに、それを支配関係にしないために手を取り合おうという訴えです。

「自分を愛すること」は私たちにとっていつまでも答えのない問いです。RM は、自分自身を愛する方法や法則を定義することなんてできないし、だからこそそれは目標であり続けると打ち明けます。簡単に定義できないからこそ、ひとりひとりが「使用」を通して自分自身の愛し方を見つけ、明らかにしていくことが私たち（BTS＝ARMY）の任務なのだと熱を込めて伝えます。

　RM の「僕を使用してください」（Use me）と呼び掛けるスピーチを聞いたとき、私の頭に浮かんだのは、ビル・ウィザースの曲、「Use me」でした。

My friends

Feel it's their appointed duty

They keep trying to tell me

All you want to do is use me

But my answer

Yeah, to all that "Use me" stuff

I want to spread the news

That if it feels this good getting used

Oh, you just keep on using me

Until you use me up

> 友よ、義務のような気持ちで言うんだろう
> 僕に言い続けるんだ 「お前のやってることは利用されてるって
> けど僕の答えはこうだ 「ああ、僕は利用されてる奴さ」
> うわさが広がったらいいのさ 利用されるのがいい感じなら
> 君が僕を利用し続けて 気が済むまで利用すればいいさ
> (Bill Withers「Use me」1972年)

　ソウルミュージックの巨星であり、しかもRMが特に影響を受けているカニエ・ウェスト、ドレイク、ケンドリック・ラマーら現代アメリカのヒップホップアーティストたちがこぞってサンプリングしているビル・ウィザースのこの曲をRMが知らないわけがなく、「Use me」と訴えるときにきっとこの曲が彼の脳裏によぎったであろうことを想像します。

　また、RMがリスペクトするNasの「I gave you power」[注5]の冒頭、「Damn...Look how mutha fucka's using a nigga, Just use me for whatever the fuck they want.（マザーファッカーどもがオレをどんなふうに使うか知ってるか　奴らは欲しいものがあればいつでもオレを使うのさ）」も同時に彼の頭に浮かんだかもしれません。

　ビル・ウィザースもNasも「Use me」という言葉を「使用」ではなく「支配」関係で使っています。しかし、ビル・ウィザースの哀愁漂う「Until you use me up（気が済むまで利用すればいいさ）」という言葉の中には、支配関係を享楽的に乗り越え

るヒントが含まれているし、Nas の「Just use me」に含まれる怒りは「I gave you power」、つまり彼をエンパワメントする発火点になっています。

　RM はあえて「Use me」というパンチラインを用いることで、ファンたちに他者を使用することの自覚を促しました。それは、「支配」ではなく「使用」であればよいという単純な話ではなく、むしろ息を吐くように他者を支配しようとする私たちが、どのような他者との関係性を築くことができるのかという問いです。彼が訴えた「Use me」には、他者をとおして自己の輪郭をつくっていく私たちの営みについてのヒントが多く含まれています。

* **注1**　『Proof (Collector's Edition)』インタビュー（2022 年）などを参照。
* **注2**　2018 MAMA in Hong Kong の大賞スピーチの際に、ジンが「解散を考えた」と発言したことで有名になった。
* **注3**　『言語が消滅する前に』國分功一郎・千葉雅也（幻冬舎新書）より。國分がここで言う「使用」の概念については、ジョルジョ・アガンベン（イタリアの哲学者）が『身体の使用』で論じた「使用」についての考察が基になっている。「使用」と「支配」の区別についても同様である。詳しくは『言語が消滅する前に』、及び『中動態の世界 意志と責任の考古学』医学書院（國分功一郎）、『身体の使用』みすず書房（ジョルジョ・アガンベン、上村忠男訳）を参照のこと。
* **注4**　BTS WORLD TOUR 'LOVE YOURSELF' NEW YORK 2018 年。訳は著者。
* **注5**　Nas のセカンドアルバム『it was written』収録

挑発するBTS

BTSの楽曲の中で、私が個人的に最も挑発的だと思っている曲は「Pied Piper」（2017年のアルバム『LOVE YOURSELF 承 'Her'』収録）です。「悪いことだからさらに良い。ほんとはわかってるんだろ、もう止められないよ」で始まるこの歌は、「推し」にのめり込むファンをRM以外の6人が総出でさらに誘惑するという、ちょっとファンからすると待って、どうか勘弁してという曲です。（この曲でRMだけはファンの心理を読みつつ冷静な視線で「もう試験勉強しなよ」と言う社会規範側を担当。）

ライブでは「僕は君の楽園」「ちょっと危険だけど僕は甘いから」「君をダメにしにきたよ」など、メンバーたちが妖艶な表情で次々と甘い言葉を畳み掛けます。そのたびにファンたちがギャーと割れんばかりの悲鳴を上げるわけで、とにかく凄まじい破壊力を持つ曲です。

この曲のタイトル「Pied Piper」は「笛吹き」という意味で、ドイツの昔話「ハーメルンの笛吹き」に由来する言葉です。ネズミの襲来に困っていたハーメルンの町から、笛の音でネズミたちを誘い出して川に溺れさせ、町からネズミを追い出すことに成功した笛吹きが、約束の報酬を町が与えなかったことから、その腹いせに笛で町の子どもたちを誘惑して連れ去り、皆を洞窟に閉じ込めてしまった……。そういうストーリーに由来しています。

メンバーたちは「この笛についてきて。その音は君の胸を焦がし引き寄せる」と歌うわけですが、これはつまりガチなんですよ。オレたちはキミらを取り返しがつかなくな

るほど危険なところに連れていくけど、ほんとうにそれで
いいの？　挑発的にそう尋ねているわけです。この曲はほ
んとエグいんですよ。

　いま「Pied Piper」についてネットで調べていたら、こん
な歌詞、ナルシ全開やんというレビューを見つけてしまっ
たのですが、その感想はヌルすぎるんですよね。あんた青
いわ。そうじゃなくて、彼らはメタ目線で「推し」とファ
ンの関係性のヤバさを知っていて、その上での挑発だから
ガチでちょっとオカシイんです。シュガが「知っていなが
らも惹かれてしまう、禁断の実のように」と歌っていますが、
酸いも甘いも知ってる大人の歌なのです。

　もう1曲は、ジミンのソロ曲「Filter」（2020年のアルバム『MAP
OF THE SOUL：7』収録）。この曲は、「推し」とファンの共犯
／依存関係を考える上でとても興味深い曲です。
「選んでよ君のフィルター どんな僕を望む？　僕を作った
人は そう君だから」とジミンはあの流し目で艶めかしく歌
います。「僕は君の推しだから、君が望むような推しになるよ」
「僕は君の世界にフィルターをかけて夢を見させてあげるよ」
「君の心にフィルターをかけて君を狂わせてあげる」　そう
耳元でささやきながら、ファンを誘惑する曲です。これを、
メンバーの中でもよりによってジミンに歌わせているとこ
ろがエグいです。（ジミンペンの皆さん、そうでしょう？）［注1］
　この曲は、「推し」に対する欲望に付随するまやかしをよ
くわかっている歌です。ファンたちは、ジミンのダンスや
歌のパフォーマンスはもちろんのこと、さりげないしぐさ

や言葉の中に、彼だけが持つやさしさを感じていつも心を揺さぶられています。そうやってファンたちが見ている推しの良さは、確かに実在するほんとうのものでしょう。

しかし、同時にそれはファンたちにとっての「フィルター」なんです、常に。あなたはそうやって推しをいつも使用している。その構造を暴いてしまう曲です。彼は「推し」とファンの関係性のヤバさを熟知していながら、挑発的な誘惑を繰り返すのです。

ジミンの過去のソロ曲との比較で言えば、この曲は「Lie」（2017年のアルバム『YOU NEVER WALK ALONE』収録）のころに「嘘の中から抜け出すことができない僕を助けて」ともがき苦しんでいたジミン（やメンバーたち）が、ファンと自己の間の関係性に対して俯瞰する視点を持てたからこそ生まれた曲とも言えます。

---

*注1　ジミンのパフォーマンスのエグさを見たいなら、ソロ曲「Serendipity」のライブパフォーマンス、2019年のMMAにおける「I NEED U」ソロパフォーマンス（演舞）など、挙げ出したらキリがないが、ジミンが出だしの一声だけで名曲を決定づけてしまったのがヒット曲「피 땀 눈물（Blood Sweat & Tears）」（邦題「血、汗、涙」）である。冒頭でジミンが歌う「내 피 땀 눈물」のセクシーな破裂音にBTSという世界の謎の全てが詰まっていると言っても過言ではない。

シーソーゲームは続く

「ファンとアンチは紙一重」とRMがV LIVEで発言したことがありました[注1]が、推しを「使用」していることの無

自覚さのせいで、彼らに対する過剰な期待が、ファンをたやすくアンチに反転させてしまうことがあります。このような過剰さを持つファンに対する応答についても、やはりBTSの作品の中に見つけることが可能です。

　BTSの聞いていて楽しくなる曲といえば、私は真っ先に「Go Go」と「Anpanman」（2018年のアルバム『LOVE YOURSELF 轉 'Tear'』収録）が浮かびます。「Anpanman」は、原作アニメ同様に自己犠牲的ヒーローを描いた作品としての読みをされることが多い曲ですが、歌詞をよく追ってみると、ちょっとしたニュアンスの揺れに気づかされます。「僕はスーパーヒーローじゃないから、君のヒーローになれるかなんてわからない。でも必ずやらなきゃいけないんだ」こんなふうに、この曲の中のヒーローはいまいち自分のヒーロー性に確信が持てません。自分がほんとうにヒーローかどうか半信半疑のまま、それでもやるから僕を呼んでねっていう感じなんです。なんだか葛藤の痕跡がリアルに残っていて、その痕跡自体をコミカルに仕立ててしまうのがすごくユニークなんです。このアンビバレンツなバランスがまさにBTSらしさですよね。高度なユーモアが発揮されています。

　もう1曲、「Trivia 轉：Seesaw」（2018年のアルバム『LOVE YOURSELF 結 'Answer'』収録）はBTS名義のシュガのソロ曲としては最も人気のある曲で、2022年に発売されたBTSのアンソロジーアルバム『Proof』にも収録されました。

「繰り返すシーソーゲーム、そろそろ終わらせようと思う。どっちかはここで降りなきゃいけない」と歌うこの曲は、恋人同士のバランスゲームを歌ったものでしょう。しかし、別の読み方では「推しのため」と言いながら過剰な干渉を企てるファンへの牽制と読むことも可能です。[注2]

　かつてのファンにとってのスターやアイドルは決して手の届かない存在であり、ファンたちは憧れの対象として受動的にその存在を味わっていました。しかし、現在の「推し」は文字通りファン側が能動的に「推す」ための存在であり、つまり、SNSなどを通じて直接的に干渉できる存在になりました。そして干渉をすることで思い通りの「推し」にする、そういうワンチャン育成できてしまうアイドル像というのが「推し」文化の前景に置かれるようになりました。

　SNSなどを見ていて、毎日のように「推し」に対してダメ出しをするファンの姿があるのも、このような「推し」文化が前提となっています。自分の理想どおりにならない推しに対しては、声を上げて是正を要求することができる。そういう風潮があるのです。BTSメンバーについても、ジョングクのタトゥーや長髪を一部ファンが過激に非難したこと、ジンがV LIVEのあとに公式グッズのストラップの扱いで炎上状態になったことなど、いくつかの例が思い出されます。

　しかし、私は個人的にこのような風潮が好きではありません。自分が楽しみたいときは愛でておいて、自分が違和感を持ったときには叩いたり嘆いたりするのって、ひとりの人間に対する扱いとしてはすごく雑だし、ほんと推しっ

て都合がいい存在ですよね。そういう人たちは、自分がアイドルをそうやって消耗品として消費していることくらい自覚しておいた方がいいでしょう。

　推しに一言言いたい人たちが厄介なのは、その人たちが「正しさ」らしさを身にまとっているからです。子どもの先回りをしてコントロールする親さながらに、良かれと思って推しを正しい道に進ませようとする。子育ての代理としての推し活をやっている人たちは確実にいます。

　推しをいたずらに非難する人がいる一方で、いい人、かわいくてやさしい人と持ち上げる人はその何倍も多いです。これを書いている私も、BTSメンバーひとりひとりのやさしさと繊細さが大好きで思わず持ち上げたくなる人の気持ちはわかります。

　でもちょっと想像してみようと思うのですが、きっと、いい人、やさしい人と言われた当人は少し複雑な気持ちになるだろうと思います。なぜなら、人は多かれ少なかれ誰もが「善くありたい」と切望する一方で、自分の裡にある悪の手触りをジリジリと感じ続けるような引き裂かれた存在だからです。RMが繰り返し「僕はそんなに善い人間じゃない」と話すのを聞くと、胸がちくちく痛みます。

　推しに対して一面的なレッテル貼りをすることは、それがたとえよいことであっても明らかに推しの「使用」（場合によっては「支配」）であり、相手にとっては決して気分のよいことではないでしょう。しかも、こういう独善的なレッテル貼りは簡単に反転するんです。相手を極端に持ち上げる人に限って、何かがあると「変わってしまった」「失望した」

と簡単に手のひらを返してしまうものです。

「Seesaw」を歌ったシュガやメンバーにとって、ARMYとの関係ってすごく切実だと思います。だってARMYあってのBTSなのですから。だから、その関係性を考えるとき、彼らは嬉しいことも多々あるけど、正直しんどいことも多いでしょう。この曲の歌詞の意味はあくまで多義的ですが、「シーソー」という言葉がそのままメンバーとファンの関係性のメタファーとしても読めるようにできています。

シュガは歌詞の中で同じひとつの単語にアンビバレンツな意味を含ませることが得意な人です。「Seesaw」の中では「平行」（평행）という言葉が、前半と後半で異なるニュアンスで出てきています。

前半部の「オレが君よりも重くなった瞬間　そもそも平行なんて存在してなかったから」の部分では、お互いが混じり合わずともそれぞれの生き方を尊重し合うような自律した平行関係のことを意味しています。そして、それが不可能であることを嘆くニュアンスで使用されています。

この用法での「平行」という言葉は、RMがGQのインタビューで語ったARMYとの間の「平行線のような愛」という言葉と直接つながっています。

GQ　　アーミーの話が欠かせないですね。今後アーミーとの愛はどんなふうに広がってほしいですか？

RM　　僕たちの相互関係や愛がどのように広がってほしいか、というのは、少し危険な考えかもしれないと思います。結局のところ、僕は自分の人生がど

んな方向に進むのかさえ知りません。アーミーはいま、特定のタイプとは説明できない集団です。僕たちの愛を考える時、頭に浮かぶ特定のイメージを手放す必要があると思っています。僕は、アーミーのように一貫して、または、積極的に誰かへの愛情を表現したことも、そんな心をもったこともありません。でも、アーミーを構成する何百万もの個人は、僕をよりよい人間に変えました。だから僕はかれらを心からリスペクトしています。そういう意味で、僕もアーミーのファンです。でも、ひとつこんな願いはあります。私たちが大人になっていく過程で、それぞれのやり方でお互いを応援しつつ、いまの距離を維持していく、平行線のような愛であってほしい。

（「GQ Japan」2022年4月号）

「Seesaw」の歌詞とRMの言葉に共通しているのは、相手（この場合ARMY）を牽制しながらも、問題を相手に帰属させずに、あくまでお互いの関係の中でのバランス問題と捉えているところで、そこに彼らの知性を感じます。

「Seesaw」の後半部では「疲れるだけ疲れてかえって平行になった」「こんな平行を望んでたわけじゃないのに」という歌詞が出てきます。お互いが自律した平行関係を望んでいたのに、相手への期待と依存のバランスを取り違えてしまって疲弊し、互いの思惑と愛情が交差することのない冷たい平行関係になってしまった。そのことを嘆いている箇所です。

　このように、BTSは本音の部分を歌詞に巧みに織り込みながら、ファンを慎重に牽制してきたとも言えます。BTSとARMYがシーソーでバランスを取り合う関係だとすれば、そのバランス調整のための力学は複雑で一筋縄ではいかないのが当然で、彼らはその意味でファンにさえ妥協しないギリギリのラインを保ちながら活動をしています。そしてそのラインを保つために作品やコンテンツを通して真正のメッセージを伝えようとしているのです。ここにはBTSとARMYをはじめとするあらゆる関連性の中に「政治」を読み込む彼らの慧眼があり、それがBTSの音楽活動に弛みない緊張感を与えています。

---

*注1　V LIVE（RM）2022年4月9日

*注2　K-POPの中でファンやマスコミの距離感を牽制する内容を含む曲としては、例えばシュガとの共作曲「eight（에잇）」もある韓国の国民的歌手IUの大ヒット曲「BBIBBI（삐삐）」が広く知られている。アーティスト本人にとって、ファンやマスコミとの関係性は、ときに個人的な恋愛問題、家族問題にまさるほどセンシティブな問題になりうる。

JUNG KOOK

本名:チョン・ジョングク（전정국）

呼び名:ジョングク、グク、Ｊ Ｋ
（ジェイケー）

出身地:釜山広域市

生まれた年:1997年

誕生日:9月1日

星座:乙女座

　ジョングクがBTSのメンバーとしてデビューしたのは
15歳のとき。一番年下で、当時は他のメンバーに比べる
と精神的に未熟な状態だったはずです。リーダーのRMに
憧れて、今の事務所入りを決めたのは有名な話ですが、
RMをはじめとするヒョンたちから大いなる影響を受けて、
精神的にもっとも成長したのは彼なのではないでしょうか。

　現在のジョングクの才能は、そのほとんどがメンバーの
中で育まれたと言っても過言ではありません。一番年下
だったぶん、年上のメンバーひとりひとりを憧れの対象と

して、その長所を存分に吸収したのが彼なのです。その意味で、彼こそが「ミスターBTS」と言える存在です。

彼は、歌やダンスなど何をやっても完璧な末っ子という意味で、「黄金マンネ」と言われています。メンバーたちはいつも「ジョングクは天才だ」と言いますし、実際才能にあふれる彼は誰が見てもそう思えますが、むしろジョングクを彩っているのは、もっと強くなりたい、もっとできるようになりたいというたゆまぬ克己心です。周囲からどれだけ完璧と言われようと、本人はまだまだ足りないと努力し続けたから、いまの彼があるのです。

ジョングクは当初、他のメンバーがうらやましかったかもしれません。RMやシュガが自分自身の必然の中から言葉を放つことができること。ジミンやJ-HOPEが情熱を込めた唯一無二のダンスを踊れること。テテがほとんど天然で魅力的な個性を発揮していること。そしてジンが肝心なときにまわりに流されない独特の気質を持っていることなど。そんな年上メンバーたちに彼はきっといまも憧れを抱いていて、それが彼自身の表現を探すために努力する原動力になったことは想像に難くありません。

ジョングクが最初から持っている、何色にも染まること

ができる色のなさや大衆性が、BTSがメジャーになる過程において決定的に重要だったことは疑う余地がありません。ジョングクの透明な明るい歌声だからこそ、彼らの切実なメッセージがファンたちの心に真っ直ぐに届いた。まさに彼はBTSの宝です。

走れ
バンタン！

2020年の「Dynamite」の世界的ヒットをきっかけに、グローバル規模のアイドル産業の象徴的存在となった彼らは、いま資本主義世界の頂点で踊っています。格差が絶えない資本主義社会の中で、富を勝ち得る立場として不動の地位を築いています。アメリカ社会でその存在を認められたことの影響は大きく、国連演説の他、アメリカ大統領との会談がセッティングされるなど、特に資本主義圏における彼らの社会的ステータスは最高度まで上り詰めたと言っても過言ではないでしょう。

コロナ禍の中リリースされた2020年の曲「Blue & Grey」（2020年のアルバム『BE』収録）には、「近寄ってくる灰色の犀。焦点が合わず僕はぽつんと立っている。僕らしくないこの瞬間」という歌詞があります。これはJ-HOPEのヴァースですが、「灰色の犀」というのは、アメリカ人作家のミシェル・ワッカーが2013年に、世界経済フォーラム（ダボス会議）で初めて使った言葉として知られています。[注1]

ミシェル・ワッカーの著書タイトルでもある「灰色の犀」という言葉は「いつかは起こると知りながら、問題が見えないせいで、あるいは問題を見て見ぬふりをするせいで起きる危機」のような意味で使われます。これに関して「Blue & Grey」の歌詞では、「僕はこの灰色の犀に焦点が合わない」と言っており、さらにそれが「僕らしくない」という独白があります。つまり、見て見ぬふりをしている自分にある程度自覚的であり、そういうグレーの世界で踊っているという認識を示唆しているのではないか。そんなふうに読むことが可能です。

　BTS＝ARMYは世界のどのファンダムよりも巨大でありながら、資本主義社会の軽薄さに抵抗するポテンシャルを秘めた存在です。しかしながら、現実的にはファンたちの多くは日々量産されるコンテンツに追われながら、供給されるままに消費するばかりの主体です。「コンヴァージェンス・カルチャー」（参加型文化）は大義として利用されるばかりで、主体的に関わろうとすればするほどむしろマーケティングに利用されてしまう、そういう構造ができあがっています。

　賢明なBTSメンバーですから、そのあたりに無自覚なわけがありません。常に矛盾を孕んだ存在として、自分たちのことを捉えているでしょう。「灰色の犀に焦点が合わない」という独白からは、あいまいな場所に身を置きながら巨大な資本主義の世界を漂う彼らの現在の姿を窺うことができます。

　資本主義はあらゆるものを包摂します。作品や関連グッズなど形として取り出せるものだけでなく、パフォーマンスの巧みさやルックスのかわいらしさ、ひとりひとりの人柄や、メンバー間の仲の良さや逆にぎこちなさ（NCTのオサズなど）といった、人間とその関係性がそのまま商品になるのが、現在のアイドル産業です。

　このような人間の資本主義的包摂というべき流れにショービジネス界でいちばんうまく乗ったのがBTSであり、高い人気を得るために、その模倣をするアイドルが今たくさん出ています。

日本のアイドルでも、例えば「SixTONES 名言」などで検索すると、彼らの名言がたくさん出てくるのですが、彼らの「名言」とBTSの発言には多くの近似性が見られます。アイドルのリアリティショー化は日本のほうが先でしたが、BTSというロールモデルが提示されたことで日韓問わず世界中で後追いが多発している状況で、この意味でBTSは人間性を商品にする時代を牽引する結果となっているのです。

2022年6月10日に公開された曲「Yet To Come」の中で、シュガとRMは自分たちの変化について「僕はただ音楽が好きなんだ。今もあのときと変わったことはあまりないんだ。君たちは嘘だと言うだろうけど」と歌います。

韓国内ではBTSの代名詞的な曲として知られる「Spring Day」（2017年のアルバム『YOU NEVER WALK ALONE』収録）には「君が変わったのか」「それとも僕が変わったのか」「僕らが変わったのかも」と自問自答を繰り返す印象的な歌詞があります。さらに、2020年にリリースされたシングル「Life Goes On」（アルバム『BE』収録）には、コロナ禍の社会状況を受けて「人々は言うんだ、世界がすっかり変わってしまったって。幸いにも僕たちの関係は今でもまだ変わらなかったね」と歌う箇所があります。このように、BTSにとって、変わること、変わらないことは、個人の歴史性をどう解釈するかという問題に絡んで重要なテーマとなっています。

私たちは他人のことをすぐに「変わった」と言いがちです。でも、他人が変わったように見えるとき、実はその人との「関係性」が変わったことがほとんどなのです。「関係性」が変

わったことを認めたくないから「その人が変わった」という言い方で、その人のせいにしてしまう。そういう身勝手さは、多かれ少なかれ誰にでもある傾向でしょう。

　2022年6月14日にBTS FESTAのファン向けコンテンツとして動画投稿サイトにアップロードされた防弾会食で、今後しばらくはソロ活動に重点を置くことが伝えられました。この日のメンバーの会話内容を受けて世界中のマスコミでは「BTSが活動休止」と報道がなされましたが、その後「活動休止ではない」と報道を否定する声明が所属事務所HYBEから出され、ジョングクやシュガも同様にグループの活動休止を否定する発言をしています。

　メンバーたちが「グループとして伝えたいことがなくなった」「アイドルというシステム自体が人を成長させない」と率直な思いを打ち明ける防弾会食を見て、もう後戻りできないところまで彼らは変わってしまったんだ、そう感じて寂しい思いを抱いた人も多かったようです。でも、あの日彼らが見せたのは、むしろ不器用なほどの変わらなさだったのではないか、私はそう感じています。

　防弾会食の際に、現在の率直な苦しい胸の内と、今後しばらくソロ活動に注力することを話したのはリーダーのRMです。そのせいで、防弾会食の内容に否定的なファンたちの一部は、RMがグループの活動休止の発端だと責め立てました。

　しかし、それを言うならRMはBTSというグループの発端

なのです。彼がいなかったらBTSは始まってさえいない［注2］ことをファンたちは知っているはずだし、誰よりもメンバーたちがそのことを尊重している事実がBTSというグループの精神の根幹にあるのです。

　彼らは防弾会食の内容がこれほどまでにセンセーショナルな反応を呼び起こすとは予想していなかったかもしれません。なぜなら、彼らにとっては防弾会食での発言は新しい内容ではなく、会食で触れた胸の内はすでに作品の中で明かされていたからです。

　2020年2月に発表されたアルバム『MAP OF THE SOUL : 7』はBTSの数ある作品の中でも最大のヒットを記録しただけでなく、K-POPの歴史でも史上1位のセールスを記録した金字塔と言うべきアルバムです。そして、このアルバムはメンバーにとってそのような公式記録とは関係のないところで特別な作品でした。

　BTSで「7」といえば、まっ先に友情タトゥー［注3］を思い出すファンも多いでしょう。『MAP OF THE SOUL ：7』の「7」の数字にもやはり特別な意味が込められています。BTSはメンバーが7人であり、そして2020年は結成から7年目を迎えたタイミングでした。さらに、カムバックの日付、(20) 20/2/21の数字をすべて足すと7になります。また、このアルバムの鍵となる曲「Dionysus」がニーチェから採られていることはすでに触れましたが（6章参照）、この曲が最初にアルバムに収録されたときの曲順は7曲目（最初に収録されたのは『MAP OF THE SOUL:PERSONA』であり、同曲は『MAP

OF THE SOUL：7』にも収録されている）であり、アルバムの曲数自体も全7曲でした。また、ニーチェの詩「ディオニュソス酔歌」には「第七の孤独」[注4] という表現が見出され、これは旧約聖書において天地創造を終えた神が7日目に休息したことと関係があると考えられます。

　これらのことに加えて、防弾会食で「『MAP OF THE SOUL：7』でグループの「シーズン1」に区切りをつけるつもりだった」というRMの発言内容を踏まえると「7」という数字が彼らにとっていかに大きな意味を持っていたかが明らかとなります。つまり、2020年の『MAP OF THE SOUL ：7』でいったんやり尽くした彼らは、少し休息した後に「シーズン2」を始めようと計画しており、その思いをすでにこのアルバムのコンセプトの中に含ませていたのです。

　このようなBTSが当時置かれていた状況を踏まえた上で『MAP OF THE SOUL：7』収録の「We are Bulletproof：the Eternal」を聞くと、全てが線でつながることが感じられます。

　この曲では、「We are Bulletproof Pt.2」（2013年のデビューアルバム『2 COOL 4 SKOOL』収録）の歌詞の引用を差し挟みながらデビュー以来7年間の試練と果たしてきた証明（＝Proof これが2022年のアンソロジーアルバムタイトル『Proof』につながる）が綴られます。「僕らは7人だけだった」「だけど今の僕らには君がいる」「7つの冬と春の後ろに」「僕らは7人じゃない 君がいるから」と「7」をキーワードにしたこの曲の中で、彼らはこの7年間の間にBTSとARMYが結ばれたこと、そ

して僕らは永遠に防弾（bulletproof）であり、これからもずっと歩き続けていくことを切々と歌います。

　グループのシーズン1に終止符を打とうと考えていた時期に、彼らが「We are Bulletproof : the Eternal」の中に差し挟んだメッセージの中身は、その後のコロナ禍における単発的な活動によりぼやけてしまった感があるのですが、2022年の防弾会食を経て正式にシーズン1の終止符が打たれたいまこそ、もう一度耳を傾ける意味のある曲です。

　防弾会食では彼らがなぜグループ活動に行き詰まりを感じ、シーズン1に終止符を打とうと考えたかについてのメンバーの思いが涙まじりに語られたのですが、2020年のシングル曲「Black Swan」（アルバム『MAP OF THE SOUL : 7』の7曲目に収録）の中にはすでに、彼らが防弾会食で訴えた悲痛がありのままに描かれていました。

　　やりたいことを見失い心震わせることがなくなった。それは一度死ぬことを意味する。すべての光が沈黙する海は、道に迷った僕の足を引きずり込もうとする。そんなのはイヤなんだ。それなら、自分の足で深いところに行く。（＊歌詞の要約）

　この曲の歌詞は、RMやシュガが防弾会食で語ったことと驚くほど重なっており、また、曲の間に何度も繰り返される「Do you hear me?（僕の声が聞こえているのか?）」の声は

会食での彼らの涙を見た後に聞くと、あまりに悲痛な叫び
として胸に迫ります。彼らの声は誰にも十分に届いていな
かったのでしょう。2年後の防弾会食で、彼らに苦しさの中
身を説明させてしまったことの重さを改めて考えてしまう
のです。

　防弾会食を見た後になんとなく元気がなかったARMYた
ちも、2022年10月15日に開催された釜山コン［注5］での彼
らの雄姿を見て、中でも初演となった「Run BTS」（2022年
のアンソロジーアルバム『Proof』収録）のパフォーマンスを見て、
随分と元気を取り戻したようです。（いやー、マジでカッコよ
かった……！）　彼らはこれからもまた私たちに凄いものを見
せてくれる。いつかまたそんな彼らを直接この目で見たい！
心底そう思わせてくれる、熱すぎるライブパフォーマンス
でした。

　釜山コンのわずか2日後の10月17日に、入隊期限が
迫っていた長男ジンが、軍入隊の延期の取り消しを申請
し、入営通知書を受け取り次第入隊することが所属事務所
から発表されました。そして、彼は10月末にの新曲「The
Astronaut」でARMYたちに愛を伝えた後、12月には陸軍
に入隊しました。
　入隊するジンのボウズ姿を見て、たくさんの人たちがそ
のかわいらしさ、美しさにときめきの声を上げていました。
でも、私はそのことに対してちょっと複雑な気持ちでした。
ジンのボウズ姿がどんなにステキでも、なぜ彼がボウズに

ならなくてはならなかったのかという暴力性に対する強烈な違和感は、いっときも忘れないぞと心に誓いました。そして、韓国の兵役は決して他人事にできるようなことではなく、日本に住む私たちも、韓国の若者たちに兵役を強いる構造を学んでいかなければならないという思いを強めました。

メンバー全員の兵役が終わって、再びグループのメンバーが揃う2025年ごろ、バンタンはどんな姿を見せてくれるでしょうか。それぞれがソロ活動を経て、さらに魅力を増したメンバーと会えるかもしれません。

彼らはきっとこれからも柔軟に変化しつつ、でも波打ち際に立ち続ける心はきっと変わらぬまま歩んでいくのではないでしょうか。「Yet To Come」で「best moment is yet to come（最高の瞬間はまだこれからだよ）」と歌った彼らの未来が楽しみでしかたありません。

そして、これからますますBTS＝ARMYが成熟した関係を深めていくことができますように。

この本は、2022年3月に開催された講座、NHKカルチャー守口教室「推しの文化論」を発端に、その後に東京や大阪など各地で行われた同名イベントや講座、さらに私がハフポスト日本版に寄稿し、東洋経済オンラインからインタビューを受けたBTSや「推し」に関する記事等をもとに、再編集を行ったものです。

　ほんとうはこの本をもっとバンタンの歌詞を存分に味わっていただく仕様にするつもりでした。行間も含めて味わってこその歌詞ですから、できるだけ歌詞をそのまま載せることができるように準備を進めていました。しかし、その夢は権利関係の都合で叶いませんでした。

　読者の皆さんはぜひBTSの音源やMV、歌詞などを同時に味わいながら、この本を楽しんでいただければ嬉しいです。そして、この本が「ARMY教本」となること、つまり、あなたの近くにいる大好きな人をARMYに巻き込むことに活用していただけることを、心から願っています。

2022年12月30日

＊注1　日本経済新聞　「灰色のサイ」を手なずけよ　2017年11月13日

＊注2　RM（Rap Monster）は2010年にBig Hitに入所。所属事務所の代表であり、プロデューサーでもあるパン・シヒョクは後のインタビューで「Rap Monster を無条件にデビューさせなければならない」という使命感を燃やしたこと、彼がきっかけで防弾少年団が生まれたことを語っている。（2017 Korepo インタビュー　パン・シヒョク代表）　https://korepo.com/archives/316430

＊注3　2022年にBTSメンバー全員がそれぞれのタイミングで「7」の文字のタトゥーを入れた。2022 年の防弾会食の後、グループの先行きやメンバー間の結束を心配したファンは多いが、グループの存続を誰よりも願っているのはメンバーひとりひとりであることに気づかされたエピソード。

＊注4　『ニーチェ詩集』（河内信弘訳 書肆山田 p267）参照。

＊注5　WORLD EXPO 2030 BUSAN KOREA CONCERT BTS <Yet To Come> in BUSAN

もとになったイベントと記事

[イベント]
2022年3月14日　NHKカルチャー守口教室　オンライン講座「推しの文化論」
2022年6月27日　鳥羽和久「『推し』の文化論ライブ」　東京・本屋B&B
2022年7月14日　「鳥羽和久が中川和彦にBTSの魅力を存分に伝える」　大阪・スタンダードブックストア
2022年11月23日　韻踏み夫×北村匡平×鳥羽和久「福岡音楽談義2022」福岡・とらきつね
2022年12月2日　鳥羽和久・三角みづ紀「BTSについて話そう『好き』が教えてくれること」札幌・俊カフェ

[記事]
「ハフポスト日本版」BTSはいかにしてARMYに愛され、ARMYに何を与えたか。「推し活」で自分を愛し、世界とつながる（編集　毛谷村真木）　2022年3月6日
https://www.huffingtonpost.jp/entry/story_
jp_6222f4f9e4b03bc49a9b3f24

「東洋経済オンライン」ファンとの共創共鳴、BTSは「新しい芸術」の形か（構成　能井聡子）　2022年9月23日
https://toyokeizai.net/articles/-/618296

「東洋経済オンライン」BTSの道程、表現者としての「試練」「ある覚悟」（構成　能井聡子）　2022年10月7日
https://toyokeizai.net/articles/-/623576

「東洋経済オンライン」新章　BTS、逆境でも揺るがないこれだけの理由（構成　能井聡子）　2022年10月7日
https://toyokeizai.net/articles/-/623587

楽 曲 索 引

ソロ名義曲

◆ RM

◆ JIN

◆ Agust D / SUGA

◆ J-HOPE

◆ V

著者について

鳥羽和久（とば・かずひさ）

1976年、福岡県生まれ。専門は日本文学、精神分析。福岡市の大濠公園近くで学習塾（単位制高校と書店を併設）を運営。著書に『親子の手帖 増補版』（鳥影社）、『おやときどきこども』（ナナロク社）、『君は君の人生の主役になれ』（ちくまプリマー新書）など。教育や現代カルチャーに関する講演も多数。連載に大和書房、筑摩書房、西日本新聞など。朝日新聞EduA相談員。

「推し」の文化論
BTSから世界とつながる

2023年3月9日　初版

著者	鳥羽和久
発行者	株式会社晶文社
	東京都千代田区神田神保町1-11　〒101-0051
	電話 03-3518-4940（代表）・4942（編集）
	URL https://www.shobunsha.co.jp
印刷・製本	中央精版印刷株式会社
韓国語監修	朴琴順

© Kazuhisa TOBA 2023
ISBN978-4-7949-7331-3 Printed in Japan